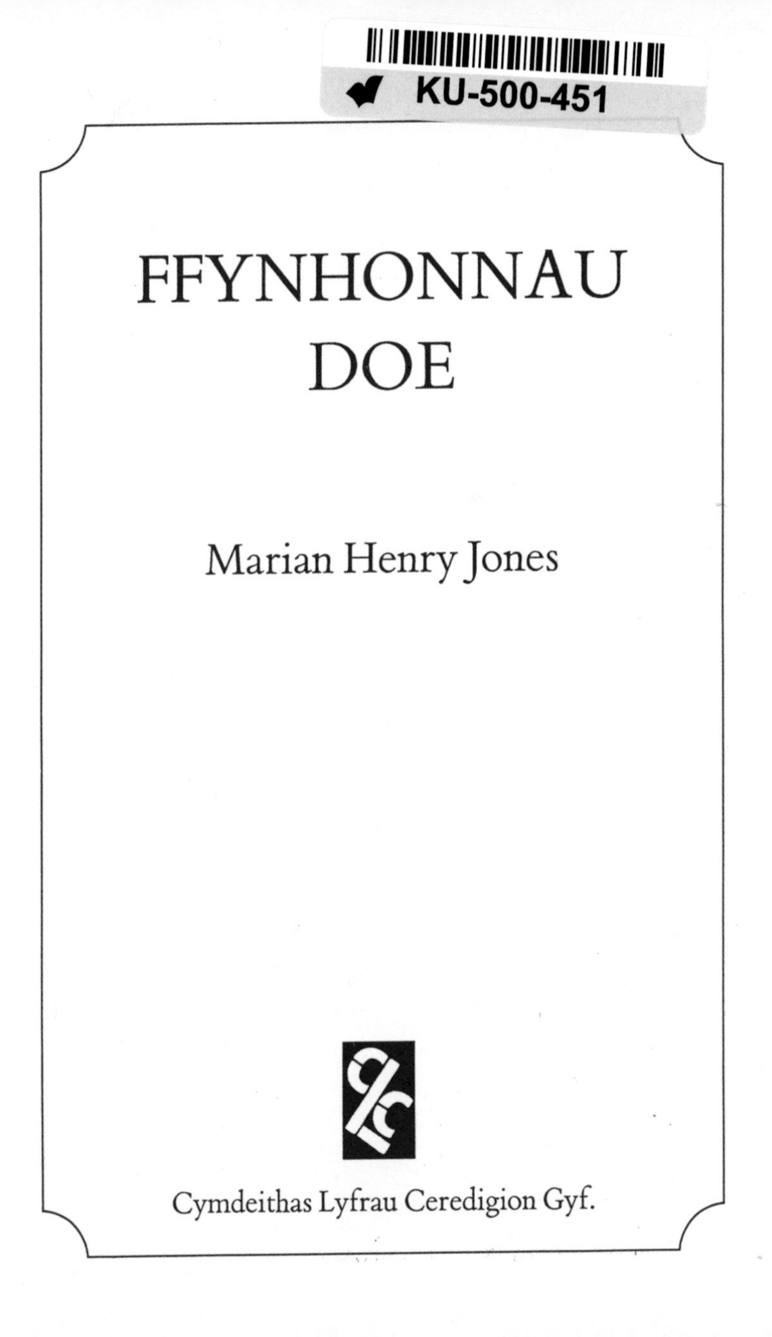

FFYNHONNAU DOE

Marian Henry Jones

Cymdeithas Lyfrau Ceredigion Gyf.

Argraffiad cyntaf: Rhagfyr 1995

ISBN 0 948930 48 9

Dymuna'r cyhoeddwyr gydnabod cymorth
Adrannau Cyngor Llyfrau Cymru.

Dychmygol yw holl gymeriadau a
digwyddiadau'r gyfrol hon.

Cysodwyd ac argraffwyd gan
Wasg Dinefwr, Heol Rawlings, Llandybïe, Dyfed SA18 3YD.

Cyhoeddwyd gan
Gymdeithas Lyfrau Ceredigion Gyf.,
Llawr Uchaf, Bryn Awel, Y Stryd Fawr, Aberystwyth SY23 1DR.

Cynnwys

Rhagair

Diolchaf i'r Parch W. Rhys Nicholas am gael defnyddio'r geiriau 'Ffynhonnau Doe' o'i gân 'I'r Gweddill' yn deitl i'm casgliad o storïau am y bywyd Cymreig rhwng 1850 a 1950:

> Tynnant y dŵr o ffynhonnau doe
> I gawgiau'r heddiw blin.

Diolch hefyd i olygyddion *Y Traethodydd, Barn* a *Taliesin* lle y cyhoeddwyd rhai o'r storïau hyn gyntaf, dan ffugenw.

Nid dogfennau hanesyddol a gynigiaf yma ond straeon. Gyda'i gilydd maent yn ymestyn dros dair cenhedlaeth a welodd newid mawr yn amgylchiadau byw Cymru, ac er mai dychmygol yw'r cymeriadau ynddynt, hoffwn gyflwyno'r casgliad i goffâd ffermwyr bychain a gweithwyr tun di-nod – yn wŷr a gwragedd – o blith fy hynafiaid a'm cydnabod.

Marian Henry Jones
Aberystwyth, 1995

STORI DEINYS

CLIRIO'R LLWYBR (1858)

Y BORE

Dihunodd Deinys fel arfer, gyda'r dydd. Am funud meddyliodd mor hyfryd fyddai troi cefn ar y golau llwyd ac ymsuddo'n is i ddyfnder y gwely pluf, nid oherwydd unrhyw flinder yn ei chorff ifanc, serch prysurdeb y diwrnod cynt, ond o awydd dal ei gafael ar un funud fach dawel arall cyn wynebu ar gyfrifoldeb y diwrnod. Yna sylweddolodd mai dydd Iau oedd hi ac na fyddai'n ei haros fwy na'r dwt arferol o gwmpas y tŷ – a'r anifeiliaid – a chofio lladd a phlufio dwy iâr erbyn trannoeth i Mr Llewelyn. Dim rhaid glanhau a rhifo wyau heddiw, na helpu Wil i lwytho'r cart, na sefyll yn y farchnad a gweld pawb yn mynd ymlaen â'u busnes fel pe baent i fyw am byth! Na, heddiw câi gyfle i gwyro'r celfi a glanhau'r heyrns uwchben-tân, gan dreulio'r rhan fwyaf o'r dydd o gwmpas y gegin gyda'i mam ac Edwart.

Trodd i edrych ar y plentyn bach a rannai'r gwely mawr â hi. Roedd wedi troi oddi wrth ei fam yn ei gwsg, fel na welai hi yn y golau gwan a dreiddiai trwy lenni'r gwely, fwy na thwmpyn bach o dan y dillad, a phen cyrliog ar y gobennydd. Gobeithiai na ddihunai cyn iddi gwblhau ei gorchwylion cyn-brecwast yn ddiffwdan. Estynnodd ei braich i ollwng mwy o olau trwy'r llenni a synnu wrth deimlo'r oerfel yn gafael, nes cofio gyda diflastod fel y dechreuodd fwrw eira ar eu ffordd adref o Gastell-nedd y noson cynt, ac i Wil y gwas broffwydo y byddai trwch ar lawr erbyn y bore. Eira, ar ganol Mawrth, a hwythau'n paratoi i symud ymlaen at waith y gwanwyn ar y ffarm! Wedi deffro'n llwyr bellach, penderfynodd mai gorau po gyntaf y codai.

Wedi diolch ar ei gliniau i'r Brenin Mawr am ei chadw hi a'i chrwt yn ddiogel dros nos, a gofyn am nerth eto i wynebu diwrnod arall, clywodd sisial ei henw. Aeth â'i bwndel dillad at y gwely-cwpwrdd ym mhen draw'r ystafell i holi, wrth wisgo amdani, sut noswaith a gawsai ei mam.

'Ma'r hen wynecon 'ma'n ddicon o boendod,' atebodd Sioned Tomos. 'Ond gallai fod yn wa'th arna i, ma'n siŵr.'

Roedd hynny'n ddigon i atgoffa Deinys nad hi oedd yr unig un â lle i achwyn yn Nhy'n-y-llechau y dyddiau hyn. 'Arhoswch chi'n y gwely nes ca i'r gegin yn gryno. Mi ddo i â diferyn o la'th cynnes i chi, cyn i chi wisgo.'

'Fi'n mo'yn lla'th hefyd, Mam.'

Safai Edwart y tu ôl i'w fam, yn crynu yn yr oerfel, serch y crys nos gwlanen a ymestynnai at ei draed.

'Der di i'r gwely at Mam-gu – ond gofala gadw'n llonydd!'

Twcodd Deinys y dillad yn dynn am y ddau, gan siarso'r un bach na fyddai dim lla'th iddo fe pe clywai'r smic lleiaf o'r llofft! Yna aeth i lawr dros y stâr.

O'r gegin clywai Wil yn symud yn y beudy, ac aeth ato i'w helpu i orffen godro.

'Bydd e Twm Shwdwr yn ei elfen yn y Rock heno, yn sôn am Balaclava – a hitha fel y Crimea 'ma!'

Pan gododd ei lygaid o'r bwced lla'th a gweld yr olwg ofidus ar wyneb Deinys, newidiodd ei dôn, a'i sicrhau na fyddai eira mis Mawrth byth yn aros yn hir ar lawr.

'Ma'r gwanw'n ar y ffordd; gweles i sigli-gwt ddo' ddiwetha, a ma'r atar yn dal i ganu'r bore 'ma 'ed – gwrandwch!' Gwyddai y byddai Sioned wedi ei geryddu am glebran gormod, ond ni fedrai Wil ddioddef gweld Deinys yn ddigalon, yn enwedig o wybod mor isel y gallai fynd.

Pan aeth hi'n ôl i'r gegin roedd Carlen yno yn torri bara i'r ford, a lla'th eisoes ar y tân ganddi.

'Dyma fora i sythu brain!' oedd ei chyfarchiad.

Merch ifanc lysti oedd gwraig Wil, ac am unwaith roedd yn dda gan Deinys gael ei chwmni wrth y bwrdd, a derbyn y bara-llaeth yn barod o'i dwylo.

'Rhaid iti wisgo dicon amdanat heddi, Carlen, wrth fynd tua'r gwaith. A gofala na chwympi di ddim ar y tyle. Bydd hi siŵr o fod yn slip o dan dra'd.'

'Ma' 'nghlogyn newydd i'n eitha trwm,' atebodd Carlen yn sionc, 'a dyna un peth da am y gwaith tun, gall neb weud eu bod nhw'n o'r yno!'

'Rwyt ti wrth dy fodd 'nôl yno, on'd wyt ti?' meddai Deinys, gan sylwi mor bert oedd Carlen, gyda'i bochau cochion a'i gwallt du cyrliog, yn mwynhau ei brecwast gydag awch, fel plentyn. Ond prysurodd Carlen i lenwi ei bocs bwyd cyn ateb, ac roedd ei llais yn siarp pan siaradodd o'r diwedd.

'Ma'n dda ca'l dicon i'w wneud, sbo! Ac ma'r tocyns, er yn fach, yn help – erbyn y cawn ni le i ni'n huna'n.'

Parodd rhywbeth yng ngoslef ei llais i Deinys dalu sylw i'w geiriau. 'Dy'ch chi byth yn meddwl mynd o'ma? Soniodd Wil ddim byd wrtho'i.'

'Ryw ddydd, own i'n feddwl; ddim ar unwaith. Lle bach eu huna'n ma' pawb yn mo'yn, yntefe?'

'Dwy' ddim wedi clywed am yr un ffarm yn newid dwylo ffordd hyn,' meddai Deinys, rhywfaint yn fwy diddig ei meddwl.

'Meddwl am ga'l tŷ i lawr yn y pentre, ar bwys Mam, own i – nace hen ffarm! Galla Wil ddod atoch chi, fel rwy i'n mynd i'r gwaith nawr.'

'A'r diwedd fyddai i Wil fynd i'r gwaith hefyd, er mwyn ca'l un o dai'r Cwmni!'

Ar ôl cau ei bocs bwyd safodd Carlen wrth y ford yn syllu heibio i Deinys trwy'r ffenest fach.

'Ma'r dyddia'n mynd heibo 'ma, heb ddim yn dicwdd; neb yn galw. 'Se'r bapa wedi ca'l byw falla na fyddwn inna ddim mor anesmwth. Ond ma' hi'n unig ofnadw lan 'ma.' Trodd ei golwg at Deinys oedd yn dal i eistedd wrth y bwrdd a'i llaw o dan ei gên, a chododd ei natur yn sydyn.

'Ma'n wahanol i chi! Ma' hwn yn gatre i chi!' meddai'n amddiffynnol.

'Ma'n ddicon unig arna inna, heb neb i'w ddishgwl at ei fwyd,' dechreuodd Deinys, ond yna tawodd rhag swnio'n rhy hunandosturiol. 'Rwyt ti'n reit, wrth gwrs,' meddai wedyn. 'Ma'r hen le 'ma, er gwaetha'r holl newid, yn dal yn gatre i mi. Ond yn wahanol i ti, ofni pob newid fydda i, ofni'r dydd y bydd yn rhaid imi chwilio am rywun i gymryd lle Wil – a'ch lle chi'ch dou. Ro'dd hi mor gyfleus i ni allu cynnig lle i chi fyw 'ma ar ôl i chi brioti, a Wil yn was 'ma ers cyhyd. Cawsom *lodgers* heb yn wbod inni, a gobeithiais dy fod ditha'n teimlo'n gartrefol 'ma. Ond fydden i byth yn sefyll yn 'ych ffordd petaech chi'n cretu y gallech chi wella ar 'ych amgylchiata.'

'Ma'n olreit i chi siarad fel'na – fel rhyw gyfreithwr! Chi'n gwbod yn nêt na fydde Wil byth yn 'ych gatel heb ddicon o rybudd. Ond beth amdano fe? Beth 'se chi'n prioti 'to? Ma' gweision yn haws i'w ca'l na llefydd i'w siort e.'

Cododd Deinys a chasglu'r llestri gweigion at ei gilydd.

'Do's dim eisie siarad fel 'na Carlen, rwyt ti'n gwbod o'r gora nad o's dim ymhellach o'm meddwl i.' Siaradodd yn siarp i roi terfyn ar y cleber gwag, ond daliodd Carlen ati, mor fyrbwyll ag arfer.

'I hynny y daw hi, hwyr neu hwyrach,' meddai'n herfeiddiol wrth daflu ei chlogyn newydd dros ei gwar, yn llawn balchder yn ei philyn newydd ac yn ei ffansïo'i hunan ynddo. Ond wrth rwymo siôl fach am ei het i'w hangori rhag y tywydd, cododd ei natur eto.

'Er nad ewch chi fawr o'r tŷ 'ma – ma' llygad un y gallwn i ei enwi, arnoch chi'n barod, a gytag amser fe ddowch i weld taw dyna'r peth calla i'w wneud. A fydde gan neb ddim i'w ddweud, a Ned Phillips yn ei fedd ers tair blynedd! A fydd dim eisie Wil ni 'ma wetyn – a byddech chi eisie'n lle ni i gysgu. Ma'n rhaid i finna ddishgwl mla'n 'ed.'

Gorffennodd yn llipa, gan ddechrau ofni'r stŵr a gâi gan Wil pe byth y deuai i wybod iddi 'wilia mor ewn' â Deinys, ac yntau wedi ei rhybuddio o'r blaen rhag 'anghofio'i lle'.

'Dyna ddicon, Carlen! Fe gaech ddicon o rybudd, ac mewn da bryd, pe bai unrhyw newid ar gered yn Nhy'n-y-llecha.' Ni hoffai Deinys siarad yn awdurdodol fel hyn â Carlen, a gyda rhyddhad y clywodd Wil yn crafu ei sgidiau ar yr haernyn wrth y drws.

Diflannodd pob cynnwrf o wyneb Carlen hefyd ac meddai, 'Cwnnwch 'ych calon, Deinys, ymhen rhyw bum mlynedd bydd Edwart bach yn gallu gwneud pŵer o waith amboiti'r lle 'ma i chi!'

O'r ffenest gwyliodd Deinys Wil yn hebrwng ei wraig drwy'r eira at y glwyd, a'r ci ifanc yn dawnsio o'u cwmpas. Edrychodd hithau ar yr hen gi, yn gorwedd yn llonydd o flaen y tân. Pum mlynedd o ffeindio'r rhent a'r taliadau, o weld ei mam yn ffaelu – ac ar ôl ei dydd hi, a welai'r tirfeddiannwr yn dda i drosglwyddo'r les iddi hithau? Na, roedd hi'n ofni edrych ymlaen, a doedd wiw iddi edrych yn ôl. Ymsythodd i'w llawn daldra gan ledu ei hysgwyddau. Roedd yn hen bryd iddi dwymo'r llaeth i fynd i'r llofft a hwylio brecwast da i Wil, ac wrth iddo'i fwyta caent gyfle i aildrefnu gwaith y dydd o dan amgylchiadau'r eira annisgwyl.

A hyn oll wedi ei gyflawni prysurodd Deinys i gymoni'r aelwyd yn barod i dderbyn Edwart i lawr i'r gegin. Dyma awr hapusa'r dydd i gyd iddi bellach, gwisgo'r un bach yng ngwres y tân, a chwarae gydag ef, heb i neb eu gweld, fel pe na bai fawr mwy na phlentyn ei hunan. Llusgodd yr hen gi ei hun i'w loches dan y ford fawr. Gwyddai Edwart hefyd beth i'w ddisgwyl. Gyda bod ei fam wedi gorffen taclu amdano, gwthiodd hi i eistedd ar y sgiw, gan ei blannu ei hun i lawr ar flaen ei throed dde, ac estyn ei ddwylo i afael yn ei dwy law hi.

'Hen geffyl bach!' gwaeddodd.

Cofiai hithau eistedd fel hyn ar droed ei thad, ac wrth fynd drwy'r un rhigwm ac ystum gydag Edwart teimlai fod hyn yn gymaint rhan o ddal ei gafael ar Dy'n-y-llechau ag oedd ei hymdrechion ar y maes ac yn y farchnad.

'Hen geffyl bach, ji-wo, ji-wo
Yn mynd i waco, do, do, do.
Beth yw ei bris e? Cein'og a dime!
Hen geffyl bach, ji-wo, ji-wo!'

Canai Deinys yn isel nes cyrraedd y llinell olaf, pan godai ei throed yn sydyn i daflu'r crwt i'w chôl, yn ddiogel bob tro, wrth gwrs. Mynnai'r plentyn ailadrodd y chwarae drosodd a throsodd nes iddi orfod ei ddal yn dynn yn ei breichiau.

'Dicon! Neu'r ig a ddaw! Beth am docyn o fara a chaws a diferyn arall o la'th?'

Clywodd ei mam yn symud ar y stâr ac aeth i'w helpu.

'Ma'n drueni na chaen ni'r gwely i lawr i'r parlwr,' meddai Sioned ar hanner ffordd, 'ond dyna fe, dyn'on diarth sy'n ca'l y lle gora 'ma nawr. Odi'r Carlen 'na wedi mynd?'

'Odi, a Wil wedi mynd â'r lla'th i'r pentre.'

'Wy'n dweud dim am Wil. Mae e'n gwbod ei le, ond amdani hi – wfft!'

'Ma'n dda inni ga'l rhywbeth am eu lle nhw, Mam, heb sôn am wneud yn siŵr o wasana'th Wil.'

'Pam na chadwan nhw i'r parlwr 'te? Yma rwy'n eu gweld nhw, o fla'n y tân a rownd y ford. O'dd 'na ddim rhyw gleber rhyfedd rhyngoch chi'ch dwy'r bora 'ma?'

'Dim byd o bwys. A dyna hi wedi mynd am y dydd! Dewch inni ga'l anghofio amdani nawr. Pan ddaw'r tywydd byddan nhw'n llai o dan dra'd. Rhaid cofio iddi hitha ga'l siom fawr. A fuo hi ddim yn forw'n i neb, chwaith – dyna'r gwahania'th a welwch rhyngddi hi a Wil.'

'Y gweithe 'ma, dyna'r gwahania'th! 'Slawer dydd ro'dd pawb yn nabod ei gilydd, 'nôl i'r achau. Nawr, a'r holl bobol yn dod o bant, ma'n anodd gwbod pwy yw pwy. Ma'r *lodgers* 'ma'n beth diarth iawn i fi, ond gallwn feddwl mai dyma'r dull o fyw nawr!'

Roedd Deinys yn hen gyfarwydd â syniadau ei mam am y newid a ddaeth i'r ardal yn sgil y gweithfeydd. Ofer oedd ceisio ei darbwyllo fod yr hanner can mlynedd o ddiwydiannu cyson ers agor y camlesi drwy Gwm Nedd yn ddi-droi'n ôl.

Ar ffarm fwy anghysbell, er yn yr un plwyf, y codwyd Sioned, ac er iddi dreulio bron deugain mlynedd bellach yn Nhy'n-y-llechau, ychydig o gysylltiad personol fu rhyngddi hi a'r pentref islaw. Bu byw fel ei hynafiaid, o gwmpas ei thŷ a'r tir, gan fynd i eglwys Llangatwg yn achlysurol, ac i'r farchnad yn amlach. Pe cawsai hi ac Ifan fab i'w dilyn ar y ffarm ni fyddai wedi newid dim ar y dull hwn o fyw, ond o'r holl blant a anwyd iddynt, un ferch yn unig a gafodd fyw i'w maint, ac yr oedd hithau, Deinys, yn ifanc pan gollodd Ifan ei iechyd. Aeth Sioned dros yr hanes hyn wrth fwyta'i brecwast, gan annog Deinys i feistroli amodau caled ei bywyd, fel y gwnaeth hithau, heb wastraffu amser nac egni yn hiraethu am yr hyn na fedrid ei newid. Ond ofnai ei bod yn tynnu mwy ar ôl ei thad, yn mynnu gweld sawl ochr i fater.

Fel rheol nid oedd dim yn plesio Deinys yn fwy na siarad am ei thad, ond heddiw nid oedd mewn hwyl i wrando ar sylwadau cyfarwydd ei mam. Nid oedd am gael ei hatgoffa am y tir mynydd a'r erwau a gollwyd wedi claddu ei thad, pan gytunodd Sioned â stiward yr ystad i beidio â chadw mwy na'r naw erw ar hugain agosaf at y tŷ, gan fynd yn ôl i'r hen drefn cyn y rhyfel hir yn erbyn Ffrainc pan unwyd tiroedd Ty'n-y-wern a Thy'n-y-llechau gyntaf. Nid amheuodd Deinys erioed ddoethineb penderfyniad ei mam, llai fyth ei wrthwynebu, ond heddiw ni fedrai oddef meddwl am y gweunydd lle crwydrai gynt gyda'i thad, yn casglu'r llysiau a ddefnyddiai ef i wneud eli a moddion. Fe barhaodd hi i wneud yr eli llosg-tân, ond roedd hi'n amhosibl gwneud rhai o'r meddyginiaethau eraill bellach wedi colli'r gweirgloddiau uchaf. Oni bai am yr eli llosg-tân ni fyddai hi wedi cwrdd â Ned erioed. Ond wiw iddi feddwl am hynny nawr.

Aeth ati i baratoi sosbanaid o gawl, ond pan ddechreuodd ei mam sôn gymaint o wahaniaeth a wnâi i gael gŵr abal ar yr aelwyd eto, ni fedrodd Deinys beidio â chodi ei llais.

'Rwy wedi ca'l dicon y bora 'ma gyta Carlen, heb 'ych bod chitha eto yn fy mhen! Rwy'n mynd i'r ffynnon i nôl dŵr. Dyma erfin a thatws a chennin ar y ford; os gwelwch yn dda, paratowch nhw i'r cawl, a chadwch lygad ar y crwt.'

'Paid ti â chodi dy gloch ata i, 'merch i,' dechreuodd Sioned, ond roedd Deinys wedi nôl y bocs shwdwyr o ddrâr y seld i ddifyrru Edwart, ac yn ffoi drwy'r drws cyn i'w mam allu dweud mwy.

Croesawai'r oerfel nawr wrth iddi ymdrechu i reoli ei theimladau, ac ar ei ffordd yn ôl o'r ffynnon penderfynodd glirio'r eira o'r beili cyn dychwelyd i'r gegin. Fe adawai'r cwyro a glanhau'r canwyllerni tan ar ôl cinio. Cywilyddiai am y ffordd y siaradodd â'i mam, ac am adael i Carlen ei chynhyrfu amser brecwast. Ni wyddai beth a'i blinai fwyaf, eu bod hwy acw, ynteu'r perygl o'u colli. Aethai popeth mor gymhleth yn ddiweddar. Nid oedd yn ferch ifanc, nac yn wraig; roedd yn fam, ond rhaid hefyd bod yn dad. A oedd hi'n maldodi gormod ar y crwt? A fyddai cael dyn ar yr aelwyd o fantais i Edwart?

Gorffennodd glirio'r eira o flaen y tŷ ac o'r beili, ond gan na theimlai'n barod eto i wynebu'r gegin, aeth i nôl rhaw o'r cartws i symud yr eira dyfnach oddi ar y llwybr at y glwyd. Roedd hi'n ffarmreg ac eto'n byw yn sŵn y gwaith tun, ac yn dibynnu arno i raddau helaeth am gynhaliaeth. Yn wir, gwerthai fwy o laeth i'r pentrefwyr bellach nag a wnâi o gaws a menyn yn y farchnad. Ond ni theimlai ei bod yn perthyn yn iawn i'r pentref chwaith.

Cododd yr eira â'i rhaw a'i osod yn daclus lle daliai'r haul arno pan ddychwelai. Roedd yn barod i ddygymod ag eira ar ddechrau'r flwyddyn, ond trwy'r Chwefror sych, oer, sylwodd â gollyngdod ar y meysydd yn dechrau glasu, a'r dydd yn ymestyn. Yr wythnos diwethaf un teimlodd chwa gynnes wrth daenu'r dillad i sychu ar y llwyni, ond dyma'r hen eira 'ma wedi dod i'w hatgoffa na ddylid cymryd dim yn ganiataol yn yr hen fyd yma. Wedi cyrraedd y glwyd, cofiodd fel y byddai ei thad, wrth bwyso arni fin nos yn y gwanwyn, yn nodi nad oedd tawch y gwaith yn cyrraedd yno, a bod yr awel, roedd yn siŵr, yn dod yn syth o'r môr, heb gyffwrdd â'r cwm! Ond y diwrnod llwydaidd hwn nid oedd bosib gwybod o ble y deuai'r awel, roedd popeth mor llonydd.

Newidiodd y rhaw am ysgubell a phrysurodd i ddysgub y pridd gwlyb lle bu'r eira; rhaid iddi ennill ei gwres a gorchfygu ei theimladau drwy symud ei breichiau'n gyflym. Gwyddai ond yn rhy dda am y gwendid corfforol a ddilynai ildio i'w theimladau. 'Rhaid iti afael yn y byd, neu mi afaelith y byd ynot ti!' oedd un o ddywediadau mawr ei mam. Ond sut oedd gafael mewn byd mor gyfnewidiol ac ansicr? Roedd Sioned ei hun yn cael ei haraf barlysu, ac o dan straen y boen yn troi'n gintachlyd. Yn llawn cywilydd am ei diffyg amynedd tuag at ei mam gynnau, teimlodd Deinys yr hen ofn cyfarwydd, difaol yn cydio ynddi. Rhaid iddi beidio ag ymollwng iddo! Gwthiodd ei hysgubell o dan y llwyni ar ymylon y llwybr a chododd arogl y pridd gwlyb i'w ffroenau. Plygodd i'w gyffwrdd; roedd y pridd du hwn yn gynnyrch y dail a ddiflannodd o'r perthi, ac roedd yn dal i fwydo'r llwyni – roedd yr un pridd yn barod i dderbyn yr had. Pridd Ty'n-y-llechau! Rhaid iddi ddal ei gafael yn hwn! Cododd, a sefyll ar ganol y llwybr gan edrych heibio i Gae'r-lloi draw at Gae'r-nant, a fu gynt yn eiddo i Dy'n-y-llechau. Rhyngddynt llifai'r afonig fechan, ond y cwbl y medrai hi ei weld oedd nudden lwytgoch brigau'r gwerni yn y cwm.

Byddai hyn oll yn dal yno, beth bynnag a ddeuai ohoni hi a'i hymdrechion! Ceisiodd sefydlu ei meddwl ar ei hoff adnod: 'Ti a gedwi mewn tangnefedd heddychol yr hwn sydd â'i feddylfryd arnat Ti, am ei fod yn ymddiried Ynot.' Dyna'r oedd yn rhaid iddi ei gadw mewn cof, yr ymddiried yna! Edrychodd yn ôl ar y llwybr a dorrodd drwy'r eira o'r beili i'r glwyd, a llonnodd o'i weld mor union a llydan. Rhaid bod tipyn o rym yn ei breichiau o hyd, ac efallai y câi ddigon o nerth eto i gynnal gwendid ei mam ac i godi Edwart. Nid oedd Carlen mor bell o'i lle! Gyda hyn fe ddeuai Edwart yn gymorth iddi, ac ni fyddai'n rhaid iddi wrth gefen arall – ddim ar y ddaear o leiaf. Dechreuodd fwmian canu.

'Na'ad i'r gwyntoedd cryf dychrynllyd
  Gwyntoedd oer y gogledd draw
Ddwyn i'm hysbryd gwan trafferthus
  Ofnau am ryw ddrygau ddaw.
    Tro'r awelon
  Oera'u rhyw yn nefol hin.'

Canodd y gytgan yn isel drosodd a throsodd wrth ddysgub y tu ôl i'r glwyd, heb sylwi fod Edwart yn sefyll y tu ôl iddi, nes iddo weiddi,

'Paid â chanu hwnna; cana i fi – am y deryn byw mawr!'

'Odi Mam-gu'n gwbod dy fod ti wedi rhedeg mas?'

'Man-gu'n cysgu,' meddai'r un bach yn bwt, 'ac yn hwrnu!'

Chwarddodd Deinys i'w gysuro, gan y gwyddai gymaint roedd e'n casáu tawelwch y gegin pan nad oedd dim i'w glywed ond tic yr hen gloc mawr ac anadliad trwm Sioned yn cysgu yn ei chadair. Roedd hithau'n falch iddi ddianc o'r gegin i godi ei gorwelion, i edrych ar y tŷ o'r tu faes, a sylweddoli mor lwcus ydoedd fod ganddi le lle teimlai'n un â'r pridd o dan ei thraed.

'O'r gora, mi ganwn ni, ac yna awn yn ôl i'r tŷ gyta'n gilydd.'

Yn ei chwrcwd, wedi taenu ei siôl drosti hi a'i chrwt, a'i chefn yn erbyn y glwyd, dechreuodd ganu'r hen hwiangerdd.

'Ble ti'n mynd nawr, y deryn byw mawr?'

Ac arhosodd iddo ef gael ymuno yn y llinell nesaf,

'I mofyn halen, y deryn byw bach!'

Ac felly aethant drwy'r pennill, hi yn holi, a'r ddau yn ateb gyda'i gilydd.

'Beth ti'n mo'yn â halen, y deryn byw mawr?'

'I ddodi'n fy nghawl, y deryn byw bach!'

'Beth ti'n mo'yn â chawl, y deryn byw mawr?'

'I ddodi'n fy mola, y deryn byw bach!'

'Beth ti'n mo'yn â bola, y deryn byw mawr?'

Ond wrth i'r ddau gymryd anadl fawr ar gyfer llinell hir yr ateb olaf, dyma lais tenor clir o'r ochr arall i'r glwyd yn canu'r ateb drostynt,

'Oni bai bola, fyddwn i ddim byw – y deryn byw bach!'

Trodd syndod y ddau yn llawenydd pur. Neidiodd Deinys ar ei thraed i agor y glwyd a thaflodd ei hun i freichiau'r hen ŵr sionc a safai yno, ei ddwy lygad las yn pefrio o ddireidi.

'Newyth Siencyn, ers pryd y buoch chi fan'na?'

'Own i'n gallu'ch cl'wed chi o waelod y cwm! Na, na, newydd gyrradd odw i, ac ma'n dda gen i dy ga'l di mor llawen.' Cododd y crotyn pengoch ar ei ysgwydd.

'Rwy'n cl'wed sŵn y gwaith, nag wy'? 'Sdim o le, o's e, 'ych bod chi ddim yn gweitho?'

'Meddwl y gwaetha o hyd! Na, ma' popeth reit i'w wala. Cl'wed sŵn y meline wyt ti – y tinws sy ar stop, a finna'n gwneud yn fawr o'r cyfle i roi tro amdanoch lan yma.'

'Bydd Mam wrth ei bodd yn 'ych gweld chi, ac ma'n dda gen i nawr imi glirio'r eira o'r llwybr i chi.'

'Ac ma'r deryn du yn canu croeso i fi 'ed,' meddai'r hen ŵr, gan bwyntio at y fwyalchen â'r big felen yn hedfan o'r llwyn, wedi gorffen ei thelori am y tro.

'Y deryn byw mawr, Newyth Siencyn?' holodd Edwart.

'Siŵr o fod, 'was i.'

Arweiniodd Deinys y ffordd i'r tŷ. O'r drws gwelai Sioned yn cysgu yn y gadair, ond roedd yr holl lysiau wedi eu paratoi ganddi ar y ford.

'Rwy'n ofni nad yw'n ca'l fowr o lonydd y nos gyta'r hen wynecon,' sisialodd Deinys, ond dihunodd ei mam ar unwaith.

'Ti Siencyn sy 'na? Beth ddaw â ti lan ar shwd dywydd?'

Eisteddodd Siencyn ar y sgiw gyferbyn â hi, ac Edwart ar ei lin, hwnnw wrth ei fodd yn archwilio wats fawr arian ei ewythr, gan ddilyn y tsaen o'r rhwyll botwm i lan o dan goler y wasgod. Âi Deinys yn ôl ac ymlaen rhyngddynt, yn llawn prysurdeb hapus wrth baratoi croeso i'r ymwelydd, gan siarpo'r tân o dan y sosban gawl, ychwanegu'r llysiau iddo yn eu tro, cyn mynd i'r llaethdy at ei gorchwylion yno.

'Digon gwanllyd ei golwg yw hi o hyd, yntefe?' meddai Sioned yn isel, gan bwyso ymlaen yn ei chadair. 'Amser anodd yw hi i ffarmo heb ddyn, ta beth a ddaw o betha 'ma.'

'Dere nawr, Siwned! Ry'ch chi ffermwyr wastod yn achwyn. Ma' pawb yn gwbod fod y prisia'n codi nawr!'

'Falla'u bod nhw, ond ma'n ddicon anodd ar ddwy fenyw yn ffarmo heb gefen.'

Difrifolodd Siencyn. 'Ma'n fis Mawrth, wrth gwrs. Shwd ma' hi arnoch am y rhent?'

'Da'th yr arian at ei gilydd yn well na llawer i dro, er wrth gwrs leiciwn i weld Deinys â mwy tu cefen iddi cyn i'm llygaid i gau. A wa'th imi gyfadda i ti, fydda i fawr o help iddi cyn bo hir. Bydd-ai'n bŵer o beth petai'n cwrdd â dyn teidi eto. Wela i ddim byd arall iddi. Dyw hi ddim dicon meistrolgar i fatlan ei hunan, fel y gwnes i.'

'O's gen ti rywun mewn golwg iddi, Siwned?'

'Bu Tomos Huws yma ddwywaith yn ddiweddar. Ynglŷn â phrynu llo, mynta fe, y tro cynta, ac yn wir da'th yn ôl amdano, cyn pen yr wthnos, a rhoi pris talïedd iawn amdano. Ond rwy'n amau fod ei lygad fwy ar Deinys nag ar y llo! Cynigiodd ei help i Wil gyta'r troi, ond fydd dim angen, dim ond yr Hanerig Ucha sy'n ca'l ei droi 'ma nawr, ddim fel o'dd petha yn amser dy dad – a chynt.'

'Ond wedodd e ddim am Deinys, wrthot ti nac wrthi hi?'

'Ddim wrthi hi; ond ro'dd e a finna'n deall ein gilydd yn o sownd. Rown i'n weddol shifftus y diwrnod hwnnw ac es at y glwyd gytag e. Wedodd e shwd drueni bu rhannu Ty'n-y-llecha a Thy'n-y-wern, bod llawer o'r tir gora gytag e, ac a'th mor bell â dweud y byddai'n lles i'r ddwy ochor i'w gweld yn un eto. Dyna i gyd a wedodd e, ond roe'n ni'n dou'n deall beth o'dd yn ei feddwl e. Ma' blwyddyn wedi rowndo ers collodd e Mari.'

'Ac fe fyddet ti'n fodlon trysto Deinys ac Edwart iddo?'

'Do's dim plentyn ganddo fe, i godi cynnen. Mae e'n ddyn sobor a diwyd, yn ffarmwr decha, a'i deulu'n hanu o'r ardal erio'd. Ac mi fydde'n naturiol iawn i weld y ddou le yn un eto. Ond nid fi yw Deinys! Ma' rhyw deimlata'n bwysig iawn iddi hi.'

Ar ôl ennyd o ddistawrwydd, a Siencyn yn dweud dim, aeth Sioned yn ei blaen, 'Ma' hi wedi mynd i bendrymu gormod am-boitu crefydd, wedwn i. Wrth gwrs, Eglwysreg fues i erio'd; es i ddim at y Methodus gytag Ifan, pan o'dd eglwys Llangatwg wedi cau am y tair blynedd hynny. Ond i Deinys ma'r byd a ddaw yn nes na'i gwaith ar y ffarm ar adega. Do'dd Ned ddim shwd gwrddwr mawr â hynny. Rhan o'i bolitics o'dd ei grefydd e, fel gyta cymaint o'r Sentars 'ma – heb sôn amdanoch chi'r Undodiaid!'

Suddodd Sioned yn ôl yn ei chadair gan synfyfyrio. Cadwodd ei brawd yng nghyfraith ei lygad arni wrth ddifyrru'r crwt ar ei lin â'i neisied fawr goch a gwyn, gan ei throi yn llygoden, ac yna'n llong, bob yn ail.

'Ma'n rhyfedd i Ned a fi ddod mla'n cystal ac ynta'n clatsho cymaint ar yr eglwys byth a hefyd. Ond ro'dd e'n dweud pŵer o wir am y degwm, wrth gwrs.'

Ceisiodd Siencyn ei thywys hi'n ôl i'r presennol.

'Methodus yw Tomos Ty'n-y-wern, yntefe? Yn y capel y sylwodd e ar Deinys, fegynta?'

'Wn i ddim. Mynd yno ar hast a dod oddi yno ar ei hunion yw ei harfer. Ond cadwodd hi draw o'r Ysgol Sul byth er pan fu e yma.'

'Soniaist ti rywbeth wrthi amdano?'

'Do, yn gynnil, ond do'dd dim iws crybwll ei enw e.'

Pan ddaeth Deinys 'nôl i'r gegin ac at y cawl, trodd Siencyn ei sylw'n llwyr i Edwart.

'A beth ma' 'ngŵr mawr i'n mynd i'w wneud wedi tyfu lan?'

'Gweitho ar y canel gyta'r ceffyla.'

'Wyt ti'n leico ceffyla wyt ti, fel Bess a Fflei?'

'Ma'n nhw'n olreit, ond ceffyla fel Lion, Capten a Star, fydd gen i.'

'Ceffyla gwaith yw'r rheina. Pwy sy wedi sôn wrthot ti amdanyn nhw?'

Pwysodd Deinys dros y tân i godi'r cawl i'r pentan.

'Ceffyla 'Nhad y'n nhw. Mam wedi dweud wrtho' i amdanyn nhw.'

'Dewch at y ford bawb, cyn i'r cawl oeri!' meddai Deinys yn frysiog.

'Cwnna di'r cig o'r cawl heddi,' meddai ei mam. 'Ma'r gweithwr tun yn bownd o ga'l cig idd'i gin'o.'

'Rhaid iti ga'l rhoi cic fach i'r gweithwyr, Siwned! Ie, Deinys, cwnn di'r cig o'r cawl, a gofala roi peth i'r crwt 'ma, iddo ga'l tyfu'n abal i dywys ceffyla ar hyd banc y canel, neu i ddod ata i i'r gwaith. A dyma Wil hefyd wedi gwynto'r cawl!'

'Diolch i chi, Newyth,' meddai Deinys wrth eistedd wrth y

bwrdd ar ôl tendio pawb. 'Diolch i chi am ddod atom heddi drwy'r eira. Ry'ch chi wedi codi'n calonna ni i gyd. Wil, cyn ei di 'nôl at dy waith, cofia ladd y ddwy iâr sy wedi eu cau i mewn, os gweli'n dda.'

'Rown i'n gamstar am blufio 'slawer dydd,' mynte Siencyn. 'Gad imi dy helpu, Deinys – i weld os collais fy llaw.'

'Bydd yn dda gen i'ch cwmni wrth blufio, Newyth bach, heb sôn am 'ych help. Ond dewch, estynnwch 'ych plât am y tatws a'r cig!'

Y PRYNHAWN

Yn union ar ôl cinio aeth Siencyn ac Edwart am dro, 'i weld y stad', fel y dywedodd yr hen ŵr. Safodd Sioned yn y ffenest yn eu gwylio'n croesi'r beili at glawdd yr ardd, Siencyn yn craffu'n fanwl ar bopeth o'i gwmpas, gan anadlu'n ddwfn o awyr ei hen gynefin, a'r plentyn yn ceisio'i dynnu'n ddiymdroi at yr anifeiliaid. Ni welai Edwart ddim byd gwerth sylwi arno mewn gardd a orchuddiwyd gan gwrlid gwyn; ni sylwai ef ar y blagur tyner oedd eisoes ar frig y pren leloc, tra gwelai Siencyn y tu ôl i'w haddewid doreth blodeuog dyddiau a fu. Ond cymaint gwell oedd cyflwr yr hen dŷ na phan dorrodd ef ei enw ar y rhisgl hwn! Chwarae teg i Ned, gadawodd ei farc ar yr hen le, er byrred ei dymor ynddo. Roedd ei do slats a'r stâr newydd yn dal i ddod â chlydwch a hwylustod i fywyd Deinys a'i mam. Nid colled a thristwch yn unig a ddaeth o'r briodas, heb sôn am y crwt 'ma oedd yn mynnu ei dywys i'r stabal.

Yno bu'r ddau yn canmol Bess ac yn gwylio Wil yn paratoi Fflei i fynd lawr i'r efail yn y pentref. Ofnai Siencyn y byddai Deinys wedi dechrau plufio hebddo, ac i ddenu'r crwt yn ôl i'r tŷ cydiodd mewn llechen a bwysai ar wal y cartws a thynnu lluniau arno â'r darn hirgul a dorrodd o'i gornel.

'Der â nhw i'r tŷ i ga'l dangos i Mam-gu shwd sgolor wyt ti.'

Arweiniodd ef i'r gegin a'i adael gyda Sioned a'r gath tra aeth yntau i chwilio am Deinys tua'r beudy, lle'r arferwyd plufio pan oedd yn rhy oer i wneud hynny ar y beili. Eisteddodd y ddau ochr yn ochr ar y stolion godro, yr ieir a'r offer ar ffwrwm o'u blaen, a bwcedaid o ddŵr twym yn ymyl. Taenodd Deinys ffetanau glân dros liniau ei hewythr i arbed ei ddillad diwetydd, ac un arall ar ei war, rhag yr oerfel.

'Dyna chi'n dishgwl fel ffarmwr unwaith 'to!'

'A thitha'n dod â Mam yn fyw o fla'n fy llyged inna, fel ro'dd hi pan oe'n ni i gyd gatre, Ifan a Sara a finna. A dyma ni nawr a neb i gadw'r lle 'ma i fynd – ond ti, Deinys.'

'Ac Edwart! Fe ddaw e i helpu cyn bo hir iawn.'

"Ti'n siarad yn wrol iawn heddi.'

'Eich gweld chi sy wedi gwneud byd o les imi,' cyfaddefodd, gan adrodd mor ddiflas y teimlai ben bore rhwng yr eira, cyflwr ei mam, a sgwrs Carlen, er na chrybwyllodd mwy nag awydd honno i symud i'r pentref.

'Bues i'n siarp iawn â Mam y bora 'ma, a chedwais o'i ffordd nes daethoch chi, yn lle gwrando arni'n siarad mor synhwyrol er gwaetha'i phoena, ac yn mynegi ei diflastod at orfod rhannu ei haelwyd. Ond i Mam, synnwyr cyffretin yw popeth, a theimlata'n cyfri dim.'

'Ond rwyt ti'n gwbod y gall hitha ddangos tynerwch pan fod ei wir angen. Achwynodd hi ddim pan a'th Ifan i wendid, a cheisiodd ei gadw ynta rhag diffygio. Dyw hi ddim yn un i ddweud rhyw lawer, ond ma'n siŵr iddi ddangos mewn gweithred, yn fwy na mewn geiria falla, dynerwch atat ti yn dy gyfyngder. Ceisio dy helpu mae hi o hyd; mae'n gwbod cystal â neb am ddioddefiada anochel dyn'on a men'wod cyffretin, ac ma' hi'n cretu mai gwell yw derbyn hynny'n ffaith bywyd, bod ymladd yn eu herbyn nid yn unig yn ddibwrpas, ond yn gwaethygu'r sefyllfa bob tro. Ie, plentyn Oes Rheswm yw Sioned! Dyw hi ddim am chwalu meddylia a theimlata. Dyna o'dd ganddi yn erbyn y Methodistiaid, yn fwy na rhyw barch mawr at eglwys Llangatwg! Ond der inni ga'l trafod y petha er'ill sy'n dy flino di, un ar y tro. Fydd yr eira 'ma ddim mwy na diwrnod neu ddou o dowlad i chi, ac ma' dyn yn gweitho'n well wedi ca'l sbel fach – os yw'r meddwl yn dawel.' Tra oedd yn siarad symudai ei fysedd yn chwim i ddinoethi'r aderyn o'i blu melyngoch.

'A dyna dy fam, do's neb yn marw o'r gwynecon, a chaiff hitha beth esmwythyd pan wellith y tywydd. Ac am Carlen, gelli di anwybyddu dri chwarter o'i chleber hi. Synnwn i ddim mai ti fydd eisie ca'l gwared arnyn nhw gynta.'

Anwybyddodd Deinys awgrym ac edrychiad chwilfrydig ei hewythr, gan ddweud y gallai ddeall Carlen, gan ei bod hithau'n teimlo'n unig yno nawr.

'Yn wir rwy'n meddwl weithia na fyddai'n beth ffôl i minna ei dilyn i'r gwaith – ar ôl dydd Mam, wrth gwrs.'

Gadawodd ei hewythr yr aderyn hanner noeth o'i flaen yn llonydd. Dewisodd yntau ei eiriau yn ofalus.

'Ma' agor plâts yn waith nêt – i Carlen. Dyw e ddim yn drymach na llawer i beth a wnei di fan hyn. A ma' merched dicon teidi'n gweitho yno. Bach yw'r tocyns, cofia! Ond alla i ddim gweld Deinys Ty'n-y-llecha'n gweitho yn y gwaith. Ma' Carlen wedi ei chodi ynghenol gweithwyr, ac mae'n wahanol ei natur i ti.' Gafaelodd ei fysedd yn y plu eto, gan symud yr olaf ohonynt yn llwyr a sydyn.

'Fe aethoch chi i'r gwaith, a dod yn eich bla'n yno, a gwneud yn well, wedwn i, na 'Nhad a arhosodd ar y ffarm.'

'Falla wir, ond do's dim yr un dyfodol i ferch yn y gwaith tun ag a all fod i fachgen. A mynd wnes i am na fedrai'r ffarm ddim cynnal ni i gyd yn y dyddia hynny. Ma' petha wedi gwella yn y blynydda diwetha hyn i'r ffarmwyr, a ta beth 'wed Siwned, ma'r gweithfeydd wedi rhoi arian yn 'ych pocedi chi, ffermwyr yr ardal.'

'Nid wy'n mo'yn i Edwart deimlo'r lle 'ma fel maen melin am ei wddwg. Fyddai hi ddim yn well iddo fe i fynd i'r gwaith, fel chi?'

'Fydd dim dewis ganddo os na chedwi di'r hen le 'ma i fynd iddo. Rwyt ti'n gwbod mai gobaith Ned druan o'dd gadel y gwaith a throi'n ôl i'r tir yn y man.'

'Ie, a cha'l holl dir Ty'n-y-llecha gynt yn ôl o dan ei ddwylo.'

'Byddai'n rhaid iddo gymryd Tomos Ty'n-y-wern i ystyriaeth cyn y llwyddai yn hynny!'

Ni chododd Deinys i'r abwyd, yn hytrach daliodd i sôn am Ned, a'i rhyddhad hi am iddo ennill ymddiriedaeth ei mam mor llwyr. A'r ddau ffowlyn yn noeth ar y ffwrwm o'u blaen, trodd Deinys at ei hewythr.

'Rwyf wedi meddwl codi rhywbeth â chi ers tro, ond heb gyfle. Cyn mynd 'nôl i'r tŷ, mi'ch holaf chi nawr. A ddywedodd Ned wrthych pam y da'th e'r ffordd hyn yn y lle cynta? Roeddech chi'ch dau'n deall eich gilydd i'r dim, wedwn i; ma'n siŵr gen i iddo ymddiried ei gyfrinach i chi.'

'Wy' ddim yn siŵr 'mod i'n dy ddilyn di nawr.'

'Helynt y Beca, Newyth, wedodd e ddim wrthoch chi?'

'Wel do – ond ro'dd hynny'n hen beth cyn iddo ddod i Dy'n-y-llecha o gwbwl. Ac fe dda'th torfeydd 'ma o Shir Bemro wetyn, heb fod yn agos at y terfysg erio'd. Wyt ti ddim yn poeni y gall dim niwed ddod i ti a'r crwt o achos hynny, wedi'r holl flynydd-oedd hyn?'

'Na, nid hynny sy'n fy mlino o gwbwl. Rwy'n falch iddo ddweud wrthych chi.'

'Ro'dd yn naturiol iddo sôn wrth hen radical fel fi – a'i gadw oddi wrth Siwned! Ond feddylies i ddim iddo sôn wrthot titha! Wel, bydd ei gyfrinach yn ddicon saff gyta ni'n dou!'

'Pan gollsoch chi Modryb Marged, o'dd hi ddim yn galed arnoch nad o'dd neb gyta chi y gallech chi rannu atgofion 'da nhw am gymaint o betha, a sylweddoli y bydden nhw'n darfod yn llwyr gyta chi? Petha dicon cyffretin ar y cyfan falla, dim ond eu bod nhw wedi dicwdd i chi, gyta'ch gilydd. Ond am helynt y Beca nawr, ma' hwnnw'n wahanol; ma'n rhywbeth na ddylai'r cof amdano ddarfod. A leiciwn i pe baech chi'n addo i mi yr eglurwch wrth Edwart, ryw ddydd, shwd un o'dd ei dad, nad un penrhydd mohono, mwy na llawer o "ferched" er'ill Beca, ma'n siŵr. Falla na wydde ffermwyr ffordd hyn ddim cymaint am yr anawstera hynny.' Gwridodd fel pe bai'n cywilyddio am ei huodledd, a gorffennodd yn llai hyderus ei thôn, 'Wrth gwrs rhaid dangos i Edwart y dylai fod gwell ffordd i wella petha, heb orfod llosgi a dinistrio.'

'Ta beth arall allsai fod yn gwasgu arnat, feddyliais i ddim erio'd bod *politics* yn dy flino o gwbwl!' A phrysurodd Siencyn i'w sicrhau na châi Edwart, na'r cof am Ned ddim cam tra byddai ef ar dir y byw. Roedd yn llawn gobaith, serch hynny, na fyddai'n rhaid i Edwart gymryd yr un llwybr â'i dad. Roedd pethau wedi gwella eisoes, a gwella a wnaent eto, ac erbyn y byddai'r crwt wedi tyfu lan byddai pleidlais ganddo, a honno'n un ddirgel, gobeithio; ond nid âi ymdrech y sawl a frwydrodd yn angof. 'Trwy addysg ac nid trwy gynnwrf y gwellith petha, a bydd addysg yn rhoi gorchestion ein harwyr ar gof a chadw am byth.' Roedd Siencyn Tomos wedi anghofio am funud mai siarad â'i nith ar lawr beudy Ty'n-y-llechau ydoedd, ac nid ymhlith y mwyaf goleuedig o'i gydweithwyr yn Ystafell Ddarllen y pentref, ond roedd Deinys wedi craffu ar bob gair, ac yn barod â chwestiwn arall iddo.

'Wnewch chi geisio lle i Edwart yn ysgol y gwaith pan ddaw'r amser? Neu o leia dysgu Saesneg iddo 'ych hunan? Rwy am iddo ga'l bob cyfle i ddod yn ei fla'n.'

Wedi addo hyn oll pwysodd Siencyn arni i ddweud wrtho os oedd yna unrhyw beth arall yn gwasgu ar ei meddwl. Ond dal i'w arwain i gyfeiriad cwbl annisgwyl a wnâi hi. 'Fe ddysgais i lawer yng nghwmni 'Nhad, ac wedyn yn yr amser byr gyta Ned, ac fe ges i ddigon o amser fan hyn ar 'y mhen fy hun wetyn i feddwl dros betha. Weithia rwy'n teimlo 'mod i wedi fy nhorri bant yn llwyr o wir fywyd yr ardal. Cyn geni Edwart byddwn i'n mynd â'r lla'th i'r pentre yn y bora, ac rwy'n cofio fel y gwelwn o'r drws lond grât o dan glo ar bob aelwyd, canwyllerni pres a chŵn tseina yn disgleirio uwchben tân, ac ro'n i'n teimlo'r cynhesrwydd yn eu bywyd. Gwn nad y'n nhw ddim yn hapus bob amser wrth gwrs, ond wrth fyw mor glòs at ei gilydd ma'n nhw siŵr o fod yn gysur i'w gilydd.'

'Gweld ein gilydd ry'n ni, Deinys fach! Ddalia i bod llawer o'r men'wod 'na, wrth dy weld di â'th stên wrth y drws, yn meddwl mai ti o'dd yn lwcus, yn ca'l aros yn dy gynefin, a llawer ohonyn nhw ymhell o'u bro a'u tylw'th. Rhannu pryder a hiraeth sy'n gwneud iddyn nhw ymddangos mor gymdogol. Nid ar gyfer rhyw ddishgled fach o de ma'r tegyll mawr yn torri i'w ferw o fora gwyn tan nos, ond rhag ofn rhyw anap sydyn yn y gwaith. Ac o dan y cŵn llestr ma' 'na roden bres â dillad gwaith yn caletu arni, byth a beunydd, dillad dou neu dri o *lodgers*, yn ogystal â'r teulu yn amal. Na, fyddet ti'n ei cha'l hi'n anodd byw fel'na; byddet yn dyheu am ffoi o'u cleber diddiwedd, a'u busnesa parhaus ym mywyd ei gilydd.'

'Fyddai hi ddim yn well i Edwart ddysgu byw ynghenol pobol?'

'Wn i ddim. Ond hyn a wn i, ma'n iachach iddo fe lan fan hyn. Pan fydd afiechydon yn taro, nid cydymdeimlad yw'r unig beth sy'n tramwy o dŷ i dŷ. Thynnith neb e o'm meddwl i nad rhyw glefyd ofnadw o gatshin a fu'n angau i Ned, nid y wlychfa a gafodd ar ei siwrne i Aberdâr. Dyn ifanc lysti fel Ned, o'dd yn gyfarwdd â bod mas ymhob tywydd! Beth o'dd cerdded dros y Rhicos iddo fe hyd yn o'd yng nghefen gaea? Na, bu Ned farw o'r un haint a laddodd dy ge'nder. Rhyw dwymyn ofnadw o'dd hi, fel y clywais pan es i yno.'

'Garw byth iddo fynd ar y fath siwrne! Ond ro'dd Mam yn teimlo gymaint am ei chwa'r wedi colli ei hunig fachgen mor ddisymwth, a hitha'n methu â'm gatel i yn y gwely, ac Edwart ddim prin wthnos o'd!'

Gadawodd Siencyn iddi fynd dros yr hanes cyfarwydd er mwyn iddi gael rhyw ollyngdod, gan fod y peth yn pwyso ar ei meddwl gymaint o hyd.

'Rhaid i chi f'esgusodi'n torri lawr fel hyn o'ch bla'n, ond dim ond gyta chi y galla i ddangos fy nheimlata; chi fu fy nghefen erio'd, ar ôl colli 'Nhad, a'r caeau tu hwnt i'r nant, ac wedyn colli Ned. Dim ond dou beth a ddeuai â chysur i mi bryd hynny, gweld Edwart yn dod i sylwi, a cherdded gyta chi dros y tir 'ma, hyd yn o'd pan na ddywedem ni fawr wrth ein gilydd.'

'Buost titha'r un help i minna pan gollais i Pegi, er nad oeddet ti fawr mwy na phlentyn. Bu dy dad a'th fam yn gefen mawr i mi bryd hynny; Siwned ddim yn dweud llawer, ond ei chroeso i'm hen gatre fel cysgod craig. Ond gyta ti yn unig y gallwn i wilia. Wyt ti'n cofio shwt y bydden ni'n cerdded lan drwy Crofften Felen a'r Co'dbach, ishte ar y twyn a syllu dros y cwm i ryw bellter tu hwnt i'r gorwel?'

Roedd y ddau ffowlyn wedi eu clymu'n daclus o'u blaen a'r plu yn ddwy domen gymen ar y llawr. Golchodd Deinys ei dwylo a'i breichiau, a'u sychu yn y lliain bras, yna rhoddodd badell o ddŵr glân o flaen ei hewythr. Safodd y tu ôl iddo am funud a'i llaw ar ei ysgwydd, a phlannodd gusan ysgafn ar dop ei ben gwyn gwlanog.

'Paid â mynd o 'ma am funud,' meddai yntau, gan afael yn y llaw ar ei ysgwydd. 'Wyt ti ddim wedi bod mor agored â'r hen Siencyn ag o'dd e'n ddishgwl. Rwy'n cl'wed i Tomos Huws fod 'ma.'

'Rwy'n gweld bod Mam wedi bod yn siarad â chi.' Aeth Deinys ati i gasglu'r plu at ei gilydd.

'Wyt ti ddim yn fodlon i fi gl'wed yr hanes gen ti dy hunan? Nid dy fam ond y dyn ei hunan fu'n siarad â fi. A dyna pam own i mor awyddus i ddod lan 'ma heddi, i mi ga'l gweld drosof fy hunan shwd oeddet yn teimlo ar y mater. Ma' gyta fe olwg fowr arnot ti, medde fe, wedi dod i'th nabod yn yr Ysgol Sul ... ond synnwn i ddim nad yw'n gweld gweithreg dda ynot ti 'ed.'

'A gweld cyfle i gydio maes wrth faes,' fflachiodd Deinys. 'Byddai'n ei siwto fe'n nêt i ga'l gweddill y tir i'w ddwylo!'

'Os taw fel'na wyt ti'n teimlo, wedwn ni ddim rhagor am y mater. Ond i fod yn deg â'r dyn, fe ges i'r argraff ei fod e'n ddicon didwyll wrth sôn am ei deimlata tuag atat.'

'Anghofiodd e Mari'n glou iawn!'

'A'th blwyddyn a mwy heibo, ac ma' dyn ar ei ben ei hunan yn fwy lletwith na menyw, cofia.'

'Briotsoch chi byth wedyn! Pam y'ch chi'n fy nghymell i i wneud?'

Roedd Deinys wedi sgubo'r llawr ar ôl casglu'r plu i sach, ac yn barod i fynd yn ôl i'r gegin.

'Der i ishte am funud 'to,' meddai Siencyn yn bwyllog. 'Dwy' ddim yn dy gymell di o gwbwl, dim ond dy ga'l di i drafod os yw'n werth ystyried y cynnig. Amdana i, rown i'n ganol o'd pan gollais Pegi, ac ro'dd gen i le cyfleus i fynd iddo, at Sara, a hitha'n witw; ro'dd yn ein siwto ni'n dou i fynd at ein gilydd. Ma' dy sefyllfa di'n wahanol. Dim ond saith ar hugain o'd – gwanwyn bywyd! Gwelest ti lwydrew yn cyffwrdd â blagur yr hen golfen fala, on'd do fe, ac ond iddi beido â bod yn rhy bell mla'n yn y tymor fe ellir gweld cnwd go dda arni wedi'r cwbwl.'

'Ma' 'ngholfen fala i wedi dwyn ffrwyth, ac wedi hen fwrw ei blota.'

'Welest ti'r pren rhosys sy gen i lawr o fla'n tŷ? Mae'n llawn rhosys gwynion ym Mehefin, a ma'n nhw drosodd mewn rhyw fis. Ond ym mis Medi ma'n nhw'n dechra blodeuo eto yn un gawod, ac fe barith ambell flodyn arni ymla'n i fis Tachwedd.'

Bu'n rhaid i Deinys wenu. 'Ry'ch chi'n un ciwt! Fe wyddoch 'mod i'n dwlu gwrando arnoch chi'n siarad mewn damhegion, neu fel 'wed Mam –walocs!'

'Wyt ti'n cofio ni'n dou'n mynd am ddiwrnod un haf, ymhell cyn i Ned ddod ar dy draws, lan i dop Cwm Nedd? Dilyn afon fach ac yna ei cholli! Fe wyddwn i'n burion beth o'dd wedi dicwdd, ond dyna'r tro cynta i ti sylwi ar afon yn diflannu o dan y garreg galch. Wyt ti'n cofio ni'n cerdded ar lan wely sych yr afon am filltir a mwy? Rown i'n dy arwain i weld y dŵr yn dod i'r wyneb eto, ond yr hyn sy'n sefyll yn fy nghof yw dy syndod fod y ffrwd yr un mor gryf a glân ag ydoedd cyn iddi ddiflannu! Nawr oni all rywbeth tebyg ddicwdd yn dy hanes di?'

Er i gysgod gwên ddod i'w llygaid, ysgwyd ei phen a wnâi Deinys.

'Ry'ch chi wedi mynd yn rhy bell â'ch cymariaetha heddi, a bydd Mam yn ffaelu â deall beth sy'n mynd mla'n 'ma. Rhaid mynd i'r tŷ!'

'Arhosa un funud arall! Dyma sy'n dy boeni'n benna y dyddia hyn, yntefe – er bod yr hen Siencyn wedi gorfod ei lusgo fe mas ohonot ti. Rwyt yn gwbod yn burion y bydd yn rhaid i ti ei wynebu hwyr neu hwyrach ond rwyt ti'n ceisio'i osgoi. Ac rwy'n credu y dylem, i'th helpu, drafod y cynnig hwn gyta'n gilydd.'

'O, olreit! Rwy wedi poeni am hyn er pan fu Tomos Huws 'ma, a chyn hynny, achos rown i'n ame'i fod yn cymryd fwy o sylw ohono' i ers tro, a chedwais draw o gyrdda'r wthnos o'i herwydd. Ond rwy'n trio f'argyhoeddi fy hunan y gallaf, gyda nerth Duw, a mwy o ymdrech ar fy rhan inna, gario mla'n nes daw Edwart i o'd, ac os ffaelaf, fod lle imi nesu hwnt – tua'r gwaith. Dwy' ddim yn gweld bod yn rhaid imi brioti neb byth 'to.'

'Nid dyna shwd fywyd o'dd dy dad wedi'i ddymuno i ti, cannwyll ei lygad – a'r gola yn ein bywyd ni i gyd, o ran hynny. Ac os wyf yn tynnu mla'n ar fy o'd, dwy' ddim yn rhy hen i allu deall nad tir Ty'n-y-llecha yn unig sy'n denu Tomos. Rwyt ti'n ferch olygus, lanwedd, a'r cwbwl a fuost drwyddo wedi gatel peth o'i ôl arnat.' Estynnodd ymlaen ati, a rhedeg ei fys ar hyd ei thalcen i ddileu'r llinellau a ymddangosodd yno wrth iddi wrando arno. 'Ond dyw'r rheina ddim ond yn dy wneud yn fwy deniadol i ŵr ifanc cryf, gan gyffro'i awydd i'th anwylo a'th gysgodi.'

Ceisiodd Deinys dorri ar ei draws drwy wamalu. 'Cerwch, hen Badi mawr y'ch chi!'

Ond mynd ymlaen a fynnai Siencyn. 'Own i ddim yn dishgwl i ti neido at gynnig Tomos, a dyna pam own i eisie gweld lle roe't ti'n sefyll, cyn iddo darfu arnat ti. Dwy' ddim 'ma i bledo drosto, ond addewes iddo dy swmpo, i ga'l gweld os oeddet yn barod i wrando arno o gwbwl. Dwed ti "na", a mi weda inna wrtho nad o's ganddo ddim lle i obeitho o gwbwl – neu mi allwn ddweud nad wyt yn barod eto. Mi wna i'n union fel y dywedi di, Deinys fach.'

Safodd Deinys ar ei ffordd yn ôl i'r tŷ, a dywedodd, 'Mi fyddwn i'n plesio Mam pe cymrwn Tomos Huws. Ond ni fyddai o'r un diben iddi hitha oni fyddai e'n cytuno i ddod 'ma atom ni i Dy'n-y-llecha i fyw, yn hytrach na'n bod ni'n mynd i Dy'n-y-wern.'

'Mae'n well tŷ, wrth gwrs,' meddai ei hewythr.

'Nid hynny'n gymaint. Elai Mam byth i Dy'n-y-wern, a thra bo hi 'ma, hi fydd y feistres o hyd yng ngolwg pawb, a Thy'n-y-llecha fydde yn y cenol, fel 'slawer dydd. Byddai'n rhaid gofalu hefyd fod Edwart yn ca'l y flaenoriaeth ar unrhyw blentyn arall allai ddod o'r briotas. Gellwch ddweud hynny wrth Tomos Huws, Newyth.'

'Wyt ti ddim ar ormod o frys nawr?' dechreuodd Siencyn mewn peth syndod, ond gan nad atebodd hi, aeth ef ymlaen mewn cryn gyffro. 'Garw byth na welem y dydd bod merched yn ca'l yr un cyfleustera â bechgyn! Buaset ti wedi gwneud marc pe baet wedi ca'l ysgol, er gwaetha dy dynerwch a'th deimladrwydd.'

'Peidiwch chi â dweud fel y dywedodd Carlen, 'mod i'n siarad fel cyfreithwr! Na chwaith 'mod i'n fyrbwyll! Rwy wedi meddwl hyn mas droeon, ac wedi gweld mai dyma'r peth synhwyrol, ond wetyn mae fy nheimlata'n mynd yn drech na fi, wrth gofio am Ned neu wrth feddwl am ddyfodol Edwart. Ond dyna fe, dyna fy nhelera i Domos Huws, os leicwch, ond cofiwch ddweud wrtho nad o's dim dadla i fod ar hyn o gwbwl.'

Cyn i Siencyn allu ateb daeth Edwart i sefyll wrth ddrws y beudy.

'Mam, ma' Man-gu'n mo'yn chi'n glou!'

Gwelodd Deinys ryw bilyn yn ei law, ac ymestynnodd amdano. Ffedog wen lân, o ddrâr y seld!

'Man-gu'n rhoi fe, a dweud am ddod yn glou, ma' dyn diarth 'co.'

'Chlywes i neb yn dod at y tŷ, ond Wil yn dod 'nôl o'r efail.'

'A'r dyn diarth, gyta Wil.' Ceisiai Edwart dynnu ei fam gydag ef.

'Cerwch chi gytag e, Newyth,' meddai Deinys, 'tra bydda i'n taro'r ffowls yn y llaethdy.'

Tomos Huws, meddyliai gyda diflastod wrth dynnu ei ffedog gynfas, fyddai'r dyn dieithr. Ysgydwodd ei siôl fach a'i rhoi'n ôl ar ei gwar, a chlymodd y ffedog wen o'i blaen. Safodd eiliad yn y penllawr i wrando. Ni fedrai glywed y geiriau, a dieithr oedd llais yr ymwelydd, serch rhywbeth cyfarwydd yn ei oslef. Nid Tomos Huws, beth bynnag! Tynnodd ei chapan a rhedeg ei bysedd drwy ei gwallt; rhaid iddi ei adael heb orchudd nes cyrraedd drâr y seld.

Plethodd ef a'i drefnu fel coron ar dop ei phen. Yn y llaethdy sylwodd ar y jwg ar y fainc garreg. Dyna lwc iddi, cyn cinio, gymysgu modd gwneud ffroes i de i Newyth Siencyn! Ond rhaid gweld pwy oedd y gŵr dieithr; efallai na fyddai angen estyn shwd groeso iddo fe!

AMSER TE

Pan gyrhaeddodd Deinys y gegin roedd Siencyn wedi setlo i lawr yn ei le arferol ar gornel y sgiw gydag Edwart ar ei lin, yn wynebu Sioned yn ei chadair yr ochr arall i'r tân. Ond rhyngddynt ar ganol llawr, yn codi o'i gadair ar ei dyfodiad, safai gŵr ifanc, cydnerth, mewn dillad trwsiadus.

'Robert Bowen yw'r enw, partner Griffi Philip, eich brawd yng nghyfraith.'

Roedd wedi paratoi ymlaen llaw sut i'w gyflwyno'i hun i'r teulu hwn, ond gobeithiai fod golau pŵl y prynhawn tywyll yn cuddio'i syndod mai un fel hon oedd gweddw Ned. Aeth ymlaen dipyn yn llai siŵr ohono'i hun, 'We'n i'n nabod Ned yn dda hefyd, 'slawer dydd. Roedd yn flin gen i glywed am eich colled chi.'

'Ma' tair blynedd wedi mynd heibo nawr,' meddai Sioned, braidd yn sarrug. Ofnai fod gormod o borthi hiraeth wedi mynd ymlaen y pnawn hwn yn barod, o ystyried yr holl amser a gymerwyd i blufio dwy iâr!

'Ie, ond 'wedd yn newydd i fi. Newydd ddod 'nôl o Ganada wyf i.'

Safai'r gŵr dieithr ar ei draed nes i Deinys ei gymell i dynnu ei gadair at y tân, gan ei sicrhau bod croeso yn Nhy'n-y-llechau i unrhyw un yn arddel cysylltiad â theulu Maesyfelin.

'Fuoch chi dipyn o amser yng Nghanada?' holai Siencyn. 'Ffarmo, debyca i?'

Siaradai'n isel, gan bwyntio at y plentyn a'i lygaid wedi cau. Tynnodd ei fam y clocsiau oddi ar y traed bach a gosod y siôl fach oedd ar ei gwar dros ei goesau cyn eistedd i lawr ei hun ar gornel y sgiw. Eglurai'r dyn dieithr sut y gweithiodd ar ffermydd ac yn y fforestydd mawr; bywyd caled iawn, y gaeafau'n oer, a'r gyflog yn fach, yn wir cymerodd ddwy flynedd gron iddo gynilo digon i dalu am ei siwrne adref.

'Dyw'r Ffrancwr yno ddim yn hoff o'r Sais o gwbwl,' ychwanegodd.

'We hynny ddim yn anodd i Gymro fel chi ei ddeall,' meddai Deinys, ac yna cyffrôdd drwyddi wrth sylweddoli iddi'n ddiarwybod droi i ffordd Ned o siarad. Byddai ef wrth ei fodd pan arferai hi'r 'we'! Ond sylwodd y gŵr ifanc ddim ar hyn o gwbl, wrth brysuro i egluro na wahaniaethai'r Ffrancwr rhwng Cymro a Sais, mai Saeson oeddynt oll yn ei olwg ef. Trodd hithau'r ple yn nes at ei diddordeb hi drwy holi am deulu Maesyfelin, gan ofyn a oedd ei gartref yntau yn ei ymyl.

'Ddim ymhell. Byddwn yn cwrdd â'r bechgyn yn y farchnad yn Arberth, a hwnt ac yma ar wahanol achlysuron.'

'Beth gawsoch chi fynd mor bell o dre?' oedd cwestiwn Sioned iddo.

'Yr hen stori, y ffarm ddim yn medru'n cynnal ni i gyd, a'r ail fab own i. Es i gynta i Wlad yr Haf i wasnaethu, ac yno y clywais am y llongau'n mynd i Ganada, a breuddwydio wedyn am y cyfleusterau a fyddai i ffarmio ar y gwastadeddau mawr. Ond yn ôl i Brydain Fawr rown i am ddod gynted ag y medrwn.'

'Ac yn ôl i Gymru, da 'machgen i,' meddai Sioned.

'Rwy'n dod 'nôl yn ddyn gwahanol, serch hynny. Yn ystod y gaeafau oer mi wnes yn fawr o'r amser i feistroli'r Saesneg, ei darllen a'i hysgrifennu. Dysgais ryw dipyn o *French* hefyd, ond siawns na fedra i wneud dim â hwnnw mwy. Ond mae'r arfer o ddarllen Saesneg wedi glynu.'

'Ma' Newyth 'ma yn ddarllenwr mawr – mewn Cwmra'g a Saesneg,' meddai Deinys â balchder.

Edrychodd y dyn ifanc ar yr hen ŵr â diddordeb newydd.

'Falle y deallwch pam rwyf am ddod i'r ardaloedd gweithfaol yma i wella fy hunan. Mae'n debyg fod Mechanics Institute i' gael tua Chastell-nedd yma, a thrwy'r ardaloedd yma'n gyffredinol, synnwn i ddim, yn wahanol iawn i fel mae i lawr yn y wlad.'

'Peidiwch â dweud 'ych bod chitha'n troi cefen ar y tir ac am symud i'r gweithe?'

Ceisiodd yr ymwelydd egluro'n amyneddgar i Sioned fel y bu'n helpu ei frawd i atgyweirio'r adeiladau gartre ar y ffarm drwy'r gaeaf, ond wrth weld ei gynilion prin yn diflannu sylweddolodd y byddai'n rhaid iddo chwilio am waith yn fuan cyn troi'n faich ar ei deulu.

'Ar ôl clywed am ddiwedd trist Ned roedd yn rhaid imi alw ym Maesyfelin cyn mynd o'r ardal. Roedd Ned yn dipyn o arwr gyda ni'r bechgyn ifainc, fel y gellwch ddeall. Pan soniais i yno am fy mwriad i fynd lawr i Shir Forgannwg roesant eich cyfeiriad i mi.'

Cododd ar ei draed a rhoi ei law yn ei boced cyn mynd ymlaen,

'A phan ddywedais y byddwn siŵr o alw arnoch os down mor bell â hyn, gofynnodd Griffi imi wneud hynny'n bwynt, a rhoi hon i chi – oddi wrtho ef a Rhosier.'

Estynnodd ar dor ei law sofren felen.

'Dywedodd Griffi nad oedd angen i chi sgrifennu i ddiolch. Efallai nad oeddynt am eu mam i wybod, achos un go deit am y geiniog yw Rachel Maesyfelin!'

Syllodd Deinys ar y llaw agored.

'Chymra i ddim ohoni. Mi gefais i sofren gan fam Ned tua'r Nadolig – ei gweinidog dda'th â hi pan o'dd e'n pregethu yn yr ardal 'ma. Rwy'n ei chadw i Edwart. Ddylai Griffi a Rhosier ddim tlodi eu hunain ar ein cownt ni.'

Safai Robert Bowen ar ei draed o hyd. 'Dyna'r orders a gefais i. Cymrwch hi! Fydda i ddim un mynd yn ôl i Faesyfelin am sbel fowr eto; ac mae'n well ar Griffi a Rhosier nawr, a'r prisiau fel maen nhw.' Daeth mwy o gynhesrwydd i ddull y gŵr ifanc a gwthiodd ei law tuag ati. 'Roedden nhw mor awyddus i chi ei chael. "Rhowch hon i Deinys ein chwaer," meddai Griffi yn ei ffordd bwyllog. Amdanoch chi roedden nhw'n sôn, nid am y plentyn. Siawns y gwyddant y cofia eu mam am ei hŵyr!'

Wrth iddo wthio'r sofren i law Deinys gwelodd ei hwyneb yn glir am y tro cyntaf, a hithau yn ei hansicrwydd ynglŷn â'r arian wedi anghofio'i swildod. 'Er na welais i nhw erio'd,' meddai, 'mae meddwl am Griffi a Rhosier wedi bod yn gysur i mi. Rwy fel pe bawn i'n eu nabod nhw, gan gymaint o sôn a glywais gan Ned amdanynt.'

Cytunodd y dyn ifanc wrth eistedd eto eu bod yn ddau fachgen nobl, a'i bod yn drueni na chymerent fantais o'r trên, a hwnnw'n mynd bob cam nawr i'r Hendy-gwyn.

'Ond chi fydd rhaid gwneud y daith! Aiff ddim yr un ohonyn nhw ymhellach o gartre na'r farchnad – neu i gystadlu aredig. Does neb all arddyd cwys mor union â Griffi! Ond yn Ned roedd y fenter i gyd – ac wrth gwrs yn William ei frawd, a aeth bant yr un noswaith honno.' Brysiodd Deinys i'w rwystro rhag sôn dim mwy o flaen Sioned am 'y noson honno'.

'Bydd William yn sgrifennu ata i, ond yn Saesneg, a bydd yntau'n fy nghyfarch fel "Dear Sister", ac yn anfon dillad i Edwart. Dillet-ydd yw e nawr, yn Yeovil.'

'Caton pawb! Y chwalu sy ar deuluoedd y dyddia 'ma!' ebych-odd Sioned. 'A Deinys, rwyt ti'n hir iawn yn cynnig tamed o fwyd i'r dyn diarth!'

Neidiodd ei merch i'w thraed ar unwaith, i siarpo'r tân a nesu'r tegell ato.

'Wn i ddim a ddylwn i aros. Gadewais fy mhac yn y Blue Bell yng Nghastell-nedd, gan ddweud y deuwn amdano cyn diwedd y dydd.'

'Ewch chi ddim o'ma heb damed,' meddai Deinys, ac ychwan-egodd Siencyn nad oedd y tipyn bach hyn o eira ddim yn ei boeni, os bosib, ac yntau wedi cyfarwyddo â gaeafau Montreal! Holodd a oedd ganddo syniad sut waith y chwiliai amdano.

'Rhyw awydd trio fy lwc yn y gwaith tun sy arna i – fel Ned o'm blaen.'

'Gofalu am y ceffyla yn y gwaith o'dd Ned. Ddododd e ddim o'i fryd ar ddod mla'n yn y gwaith . Yn ôl fan hyn, yn ffarmo Ty'n-y-llecha, dyna o'dd ei nod e. Ond fe fyddwn i'n 'ych cynghori chi i ymddiddori yng ngwneuthuriad y blaten alcam ac yn y gwahanol greffta sy'n y gwaith.'

Tra bo Siencyn wrth ei fodd yn egluro'n fanwl i'r dyn dieithr y cwbl a ddigwyddai i'r bar hir haearn o'r amser y gadawai'r gwaith haearn nes gadael y gwaith tun yn focseidi o blatiau sgwâr, tenau, gloyw, ar eu ffordd i lawr y gamlas i'r porthladd, prysurai Deinys i baratoi pryd o fwyd. Roedd wedi hen benderfynu rhoi'r croeso gorau a fedrai i'r ddau ddyn. Estynnodd liain gwyn o ddrâr y seld a'i daenu ar y ford fach gron, ac arno gosododd ei llestri gorau, y rhai a'r ddraig werdd ar bob cwpan a soser. Datglôdd y cwpwrdd bwyd deri ym mhen pella'r gegin a chymryd oddi yno y canister te a'r basin siwgr. Gosododd y dorth a chosyn cyfan ar y ford fawr, a rhoddodd y menyn i'w mam i'w feddalu yng ngwres y tân. Ni sylwodd yn ei phrysurdeb fod llygaid Robert Bowen yn ei dilyn, er ei fod yn gwrando'n ddigon astud ar ei hewythr, ac yn holi ambell gwestiwn iddo. Roedd hi mor wahanol i'w ddisgwyliad. Menyw gyfforddus ar ddechrau'r canol oed y disgwyliasai i weddw Ned fod; un abl, feistrolgar, efallai, fel ei fam – un ddigon glanwedd, wrth gwrs, o gofio llygad Ned am roces bert 'slawer dydd, ond merch ffarm, llond ei chroen, yn deg tra bo ieuenctid yn ei gruddiau, ond yn setlo lawr ar ôl priodi i fod yn hawddgar ac yn famol. Roedd hon yn hollol wahanol! Rhaid ei bod dipyn ifancach na Ned, a doedd dim dwywaith nad pâr smart i'w rhyfeddu y buon nhw gyda'i gilydd, y ddau mor dal a golau eu pryd. Roedd rhywbeth digon arbennig yn ei hewythr, erbyn meddwl; siâp ei ben yn awgrymu deallusrwydd, er fod ei gorff wedi crymu dipyn – dan bwysau gwaith trwm, mae'n siŵr.

Wrth i Deinys roi'r maen mawr crwn ar y trybedd ar y tân siarp sylwodd ef nad oedd yn ei gwallt hi ddim o'r cochni a welai yng ngwallt crych y crwt, ac a gofiai ym marf Ned. Llywethau aur pur oedd ganddi hi! Arferai feddwl unwaith, yn enwedig yng Nghanada, fod Nansi Maesyfelin yn grynhoad o bopeth deniadol mewn merch. Ond yn ymyl hon byddai Nansi hytrach yn gwrs.

Ac nid am nad arhosodd Nansi iddo ddychwelyd o'r wlad bell y teimlai hynny! Na, pictiwr o ferch yn wir oedd gweddw Ned.

'Dy'ch chi ddim yn troi'ch cefen ar ffarmo oherwydd gweld amser drwg o'n bla'n?' holodd Deinys, gan droi tuag ato am eiliad cyn arllwys o gynnwys ei jwg ar y maen poeth.

'Ddim o gwbwl,' atebodd yn bendant, gan ymroi i dawelu'r pryder a glywai yn ei llais. 'Na, mae'n argoeli'n dda i bawb sy a ffarm ganddo, ond fy nhrafferth i, fel cymaint o'm cyd-Gymry, yw ca'l gafael ar ffarm, a ninnau'n torri gyddfau'n gilydd wrth gynnig yn erbyn ein gilydd, a neb yn elwa ond y meistr tir. Pe bawn yn aros yn Shir Bemro, *landless labourer* a fyddwn yno. Yma, yn y gweithie, efallai y gallaf godi'n rhywbeth gwell na labrwr yn y man, yn grefftwr a balchder yn fy ngwaith, fel eich ewythr yma.'

Roedd y ffroesen yn codi'n bothellau bychain drosti, a gyda thro sydyn o'i harddwrn trodd Deinys hi drosodd.

'Weta i gymaint â hyn,' meddai Sioned o'i chornel. 'Ma' Siencyn wedi dod mla'n, heb golli parch meistr na gweithwr.'

'Twt, twt,' meddai Siencyn. 'Y peth mowr yn y gwaith tun yw mynd mla'n â'ch gwaith yn gydwybodol, heb amharu ar waith y sawl fu'n gweitho ar y blaten o'ch bla'n, na'r un fydd yn ei thrin ar eich ôl. Ma' 'na rai, fel ymhob galwedigaeth, sy'n mynd trwy eu gwaith rywsut, nes daw yn "Come to!" Ond ar y cyfan ma'n waith sy'n creu ymdeimlad o gyfrifoldeb tuag at 'ych gilydd, yn ogystal â boddhad o weld y blaten orffenedig.'

Yn ei phrysurdeb rhwng y tân a'r ford teimlai Deinys yn ysgafnach ei bron nag ers llawer dydd. Roedd hi'n braf cael cwmni yn yr hen gegin fawr unwaith eto. Sylwodd Robert Bowen ar y gwrid yn ei grudd a'r golau yn ei llygaid. Nid glas mohonynt fel y tybiodd, ond gwyrdd, gwyrdd y ddeilen saets yn yr ardd, ond tywyll oedd blew yr amrannau, ac mor hir nes taflu eu cysgod ar wyn ei llygaid. Ac er pan dynnodd hi'r siôl o'i gwar ni fedrodd anwybyddu ei gwddf siapus, gyda'r croen o wead sidan, a gwynnach na hufen! A meddwl am sidan, byddai'n werth gweld hon mewn sidanau yn lle'r wlanen lwydlas gwrs a wisgai; er efallai i'w harddwch ddisgleirio'n loywach yn erbyn cyffredinedd ei dillad bobdydd, gan ddibynnu dim ar allanolion. Ond sut wisgai ar y Sul, tybed? Dal yn ei du, mae'n siŵr! Fe'i cafodd ei hun yn gobeithio ei bod hi'n caniatáu i'w hunan ryw gyffyrddiad o liw yn rhywle – piws, o leiaf. O'r diwedd roedd digon o ffroes yn barod iddynt gael dechrau ar eu te. Yn y cyffro deffrodd Edwart ac aeth i eistedd yn ymyl Siencyn wrth y ford fawr. Rhwng tendio'r dyn dieithr a'i mam wrth y ford fach, a'i hewyrth ac Edwart gyda hi wrth y ford fawr, a chadw golwg nawr ac eilwaith i weld a oedd Wil ar ddod, ni chafodd Deinys gyfle i fwyta fawr ei hunan, ond mwy na digon iddi hi oedd y pleser a ddaeth o'i phrysurdeb. Am yr ychydig funudau hyn, hi, ac nid Sioned, oedd meistres Ty'n-y-llechau.

BRIG Y NOS

Roeddynt oll wedi gorffen eu te erbyn i Wil ddod i'r gegin, a thra oedd yntau'n mwynhau'r pryd amheuthun wrth y ford fawr, eisteddai Robert Bowen ar y sgiw yn ymyl Edwart, yn tynnu lluniau ar y llechen yn ôl archeb y crwt – llun tŷ, y gath o flaen y tân, ac wrth gwrs ceffyl. Ar yr un pryd roedd Siencyn yn ei drefnu i fynd i nôl ei bac o'r Blue Bell tra byddai yntau'n chwilio am lety iddo yn y pentre, fel y gallai geisio am le yn y gwaith ben bore drannoeth.

'Chreda i ddim llai na fyddwch yn lwcus,' meddai'r hen ŵr, 'ac os nad yma, yna ma'n siŵr y cewch gynnig gwaith ganddynt yn un o'r gweithe newydd ym mlaena Cwm Tawe, neu Ddyffryn Aman, gan fod llaw gan yr un perchnogion mewn agor llawer o'r rheiny, a llawer o'n gweithwyr ninna yn Aberdulais wedi mynd yno i'w gwella'u hunain, a rhai i swyddi da fel hyfforddwyr.'

'Aros yn weddol agos i Gastell-nedd a'i gyfleusterau fyddai orau gen i. Mae yma ysgol ar gyfer y bachgen addawol 'ma, mae'n siŵr?'

Eglurodd Deinys y gobeithiai y câi ei hewythr le iddo yn yr ysgol a gefnogwyd i blant y gweithwyr, a'i bod hithau'n gobeithio cadw'r ffarm iddo, os medrai.

'Os bydd e am ddal i ffarmo!' meddai Robert Bowen. 'Gall rhocyn fel hwn, o gael addysg, fynd ymhell. Mae ardal fel hon yn cynnig cymaint o amrywiaeth fel bydd ei ddyfodol ef yn llawn posibiliadau.'

'Wn i ddim a fyddai ei fam am iddo fynd ymhell oddi yma, ac ry'ch chi'n lwcus nad yw ei fam-gu yn 'ych clywed!' Amneidiodd Siencyn i'w rybuddio nad oedd Sioned ddim pellach na'r gell. Aeth Deinys yno ati i'w gyrru'n ôl o'r oerfel at wres y tân, gan ei sicrhau y golchai hi'r llestri gorau yn y funud, ac nad oedd hi ddim wedi anghofio'r godro chwaith! Roedd y golau'n darfod nawr, ond cyn cynnau'r gannwyll gwelodd Deinys drwy ffenest fechan y gell i'r eira golli ei wynder disglair. Rhaid ei bod wedi dechrau dadlaith yn ystod y prynhawn. Daeth Wil â'i lestri iddi i'w golchi gyda'r lleill.

'Odi fe'n mynd i aros ffordd hyn?' holodd yn eofn.

'Os caiff e le,' sibrydodd hithau'n ôl.

''Se chi wedi ei glywed yn brygywthan Saesneg mowr, lawr wrth yr efail gynne, wrth holi ymhle'r oe'ch chi'n byw, fe gymrech ef yn siopwr o leia, os nad yn un o'r gwŷr mowr – nid fel rhywun yn whil'o am waith!'

'Wyt ti ddim yn ei leico fe 'te,' sylwodd Deinys, a'i thôn braidd yn finiog.

Roedd Wil fel arfer yn fyw iawn i ddull Deinys o siarad, ac atebodd yn ofalus, 'Wn i ddim; gweld iddo wneud dicon o drafferth i chi'r pnawn 'ma.'

'Y te, rwyt ti'n feddwl? Gwyddost fod Mam wastod am estyn croeso i Newyth, ac fel mae e'n dwlu ar ffroes!'

'Ond dyw Siencyn Tomos ddim yn arfer ca'l y llestri gora oddi ar y seld, nawr, odi e?'

'Wel, rown i eisie i'r dyn diarth fynd â chownt da ohonom i deulu Ned. Mae e'n eu nabod nhw, wyt ti'n gweld, a nhw o'dd wedi dweud wrtho am alw yma.'

'O dwetwch chi hynny! Ma' hynny'n gwneud gwa'nia'th.'

'Ma' modd dwy neu dair ffroesen ar ôl yn y jwg i Carlen pan

ddaw,' mynte Deinys, a theimlo wrth ddweud fod rhywfaint o naws y bwrdd te o'i chwmpas o hyd.

Brysiodd yn ôl i'r gegin â'i llestri gorau yn barod i'w rhoi yn ôl yn eu lle cyfarwydd ar y seld. Roedd y ddau ddyn ar eu traed, wedi gwisgo amdanynt ac yn barod i gychwyn. Diolchodd Robert Bowen yn gwrtais i Sioned, ac wedyn i Deinys, am y te a'r croeso nad âi fyth yn angof ganddo.

'Fe gawn gl'wed gan Siencyn os lwcwch i ga'l lle yn y gwaith,' meddai Sioned wrtho, 'ac os na chewch, meddyliwch eto am fynd yn ôl i'r tir. Chreta i ddim llai nad o's le yno yn rhywle i ddyn abal fel chi.'

'Fe ddowch heibo inni eto, os cewch le yma.' Roedd geiriau Deinys yn fwy o sylw na chwestiwn, ond fe'u derbyniwyd fel gwahoddiad.

'Diolch yn fawr. Mi gymraf yr hyfdra i ddod â phensil a slaten iawn i'r gŵr bach yma ryw fin nos, nawr bod y dydd yn ymestyn.'

'Fe wela inna di cyn bo hir,' meddai Siencyn wrth Deinys, gan gau un llygad yn awgrymog.

A'r funud nesaf roeddynt wedi mynd. Safodd Deinys ac Edwart ar ben drws nes eu clywed yn cau'r glwyd. Drwy'r gwyll ni welent yn glir ond y rhes wen o eira a gododd Deinys i ymyl y llwybr cyn cinio.

'Fi ddim yn mo'yn iddyn nhw fynd!' dolefai Edwart. 'Fi'n mo'yn i Newyth Siencyn a'r dyn 'na ddod 'nôl.'

'Dere, dere! Cei ddod gyta fi i'r beudy. Rhown ni'r clocsia 'nôl am dy dra'd, a mi godaf inna fy siôl.'

Ond blinodd Edwart yn y beudy ymhen ychydig, a throdd 'nôl at ei fam-gu a'r tân a'r gath fach. Teimlai Deinys hefyd y godro yn dipyn o dreth arni, er na fedrai ddeall pam y blinodd ar gyn lleied o waith, a hithau heb gyflawni dim o'r tasgau a addawsai iddi ei hunan ar ddechrau'r dydd. Ond pan sylwodd ar blufyn coch neu ddau ar lawr y beudy cofiodd yn sydyn am waith y pnawn, ac am winc ei hewythr wrth ymadael. Byddai'n rhaid iddi yn y dyddiau nesaf, cyn y Sul beth bynnag, droi ei meddwl yn ôl at drafodaeth y pnawn hwnnw. Yna sylweddolodd yn sydyn ei bod yn nos Iau eisoes – noson Seiat! Tybed a alwai Tomos Huws gyda'i hewythr ar ei ffordd o'r cwrdd heno? Cafodd hi'n anodd cofio ar unwaith beth yn union a setlwyd yn y diwedd, roedd cymaint wedi digwydd ers hynny – y Robert Bowen yna, a'r te mawr, a phopeth mor wahanol i arfer! Wrth dynnu'r diferion olaf o bwrs Seren daeth i'w chof yn glir mai'r hyn a ddywedodd wrth Siencyn oedd ei bod yn barod i ystyried priodi Tomos Huws petai yntau'n bodloni rhoi'r flaenoriaeth i Dy'n-y-llechau, ac i hawliau Sioned ac Edwart. Teimlai croen ei phen yn codi mewn arswyd, a'r hen dyndra'n gafael eto yn y cylla. Na, ddim hyd yn oed i blesio'i mam y gallai feddwl am fod yn y berthynas honno â Tomos Ty'n-y-wern! Ddim byth! Siarad 'fel cyfreithwr' yn wir a wnaeth hi; siarad â'i hymennydd, fel pe na bai ganddi galon o gwbl. Dyn dieithr iddi hi oedd Tomos Huws, a dyna'r oedd hi am iddo aros. Diolch i'r dyn dieithr arall yna alw'r pnawn 'ma i ddod â hi'n ôl at ei choed. Roedd ei ffordd o siarad wedi dod â Ned 'nôl o flaen ei llygaid, yn fwy byw nag ers llawer dydd. Rhaid iddi ei meddiannu ei hunan eto, a pharhau i frwydro ymlaen ar ei phen ei hunan nes deuai Edwart i oed.

Aeth â'r bwcedi llaeth i'r llaethdy. Pwysodd ei dwylo poeth ar y fainc garreg oer, a'u gwasgu i'w thalcen mewn ymgais i'w glaeru. Byddai'n rhaid iddi weld Siencyn cyn gynted ag y bo modd. Heno! Clywodd sŵn troed Wil ar y beili, yn ei ôl o gwrdd â Carlen o dŷ ei mam, lle'r âi hi ar ôl gorffen ei diwrnod gwaith. Ni fedrai Deinys ddioddef mân-siarad honno heno o bob amser! Wrth edrych yn wyllt o'i hamgylch yn y llaethdy, syrthiodd ei llygaid ar y ddwy iâr a blufiwyd ynghynt yn y dydd, a gwelodd ffordd ymwared yn agor o'i blaen. Estynnodd y fasged wellt o'r trawstiau, trefnodd y ddau ffowlyn yn daclus rhwng y llieiniau glan a gadwai bob amser wrth law yn y llaethdy, a thynnodd glawr y fasged i lawr drostynt â chlep. Aeth i'r gegin, a gan estyn ei chlogyn o'r bach ar gefn y drws, cyhoeddodd ei bod yn rhedeg â'r ffowls i dŷ Mr Llewelyn, gan iddi anghofio gofyn i'w hewythr fynd â hwy ar ei ffordd.

'Aiff Wil â nhw,' mynte Sioned, 'rhag i ti fynd drwy'r oerfel.'

'Os af i fy hunan, falla caf ordor arall gan Ann Price y Cook. Mae'r eira bron â diflannu ac fe wnaiff tro byr les imi ar ôl bod i mewn drwy'r dydd.'

'Ma' te-parti crand wedi bod 'ma heddi, rwy'n cl'wed!' meddai Carlen, nid heb wawd.

'Helpa di dy hunan yn ewn.' Gorfododd Deinys ei hun i swnio'n serchus. 'Fydda i ddim yn hir.' Ac i ffwrdd â hi cyn i neb arall gael cyfle i'w rhwystro.

Byr fu arhosiad Deinys yng nghegin Ann Price, ond digon iddi ennill ordor – am gaws a menyn, a dau ffowlyn tebyg, ymhen yr wythnos – iddi allu sôn amdano pan gyrhaeddai adref. Brysiodd oddi yno cyn gyflymed ag y medrai ei thraed ei chario i dŷ ei Modryb Sara, gan gofio'n ddiolchgar i'w hewythr sôn yn ystod y dydd y byddai ei chwaer yn gwylad cymdoges glaf drwy'r noson honno. Daeth Siencyn i'r drws cyn gynted ag y clywodd sŵn troed y tu allan, ond synnodd yn fawr o weld mai Deinys oedd yno. Ni chuddiodd oddi wrtho mai esgus pur oedd danfon y ffowls ar unwaith er mwyn iddi gael cyfle i'w weld ef cyn y gwelai ef Domos Huws!

'Roeddech yn llygad 'ych lle y pnawn 'ma; rown i ar ormod o hast i ga'l gwared ar fy holl broblema. Fedra i ddim meddwl am brioti Tomos Huws ar unrhyw delera yn y byd. Anghofiwch yr hyn wedais i; ddim ar unrhyw delera yn y byd, yw fy ateb i iddo.'

'Dere di, rwyt ti wedi bod drwy ormod y pnawn 'ma. Galla i'n burion ddweud wrtho bod eisie mwy o amser arnot ti. Gad di bopeth i fi.'

'Na. Ma'r dyn diarth yna'r pnawn 'ma wedi dangos imi fod y gorffennol yn rhy fyw. Beth a feddyliai Griffi a Rhosier o gl'wed bod eu "chwaer" yn mynd i brioti eto?'

'O'r gora! Ma' popeth fel o'dd e, a do's neb ond ni'n dou'n gwbod inni drafod y posibilrwydd arall. Cwyd dy galon nawr, a gad imi dy hebrwng adre, rhag ofn i Tomos alw heno, a chyn i'r Robert Bowen yna ddod yn ei ôl o Gastell-nedd.'

'Gawsoch chi le iddo aros?' holodd Deinys wrth glymu ei chlogyn amdani.

'Do, gyta 'Ngharad Wallter. A gan fod y bachgen o'dd ganddi gynt ond newydd symud i'r Gwter Fawr, siawns na chaiff hwn ei le fe yn y gwaith 'ed.'

Paratodd y ddau i wynebu'r tywydd ac i ffwrdd â nhw dros y ffordd fawr. Wedi mynd ymlaen dipyn holodd Deinys farn ei hewythr am y Robert Bowen yna. Fe gafodd gyfle i gael mwy o sgwrs gydag ef ar eu ffordd i'r pentref gynnau, beth tebyca?

'Ma'n fachgen a ddaw mla'n yn y byd.'

'Do'dd Wil ddim yn hido rhyw lawer amdano.'

'Wyt ti ddim yn rhoi pwys mawr ar farn Wil, wyt ti? Ar wahân i'w farn ar ryw anifel! Ma' pobol yn dueddol i ddislico'r hyn nad y'n nhw ddim yn ei ddeall, wel' di.'

'Doeddech chi ddim yn ei ddislico fe 'te?'

'Na, rwy'n meddwl 'mod i'n ei ddeall e'n weddol. Dwy' ddim yn siario'i edmygedd e o'r hen Palmerston, cofia! Ond, a chofio'r gwahaniaeth naturiol rhwng dwy genhedlaeth, na, alla i ddim dweud 'mod i'n ei ddislico fe.'

'Ddigwyddoch chi ddim gofyn iddo os o'dd yn dilyn ei gwrdd?'

'Do, ferch! Bedyddiwr yw e, a selog 'ed – "ei grefydd yn bart o'i bolitics", fyddai Siwned yn barnu! Ond na, falla fod mwy o'r ysbrydol ynddo nag o'dd yng nghrefydd Ned.'

'Cafodd e well cyfle i'w drwytho'i hunan na Ned, ac wedi gweld y byd hefyd.'

'Eitha reit, ac ma'n rhaid inni roi clod iddo am wneud yn fawr o'i amser yng Nghanada. Fe allsai fod wedi troi i oferedd yn ei siom a'i ddiflastod, ond troi'r cwbwl yn fantais na'th e. Mae'n eitha sgolor yn y Sasneg – yn edmygwr mowr o Mr Wordsworth. Ro'dd yn dyfynnu peth o'i waith e wrth inni atel Ty'n-y-llecha gynne.'

'Roeddech wrth 'ych bodd 'te, Newyth, achos rwy i'n meddwl bod tipyn o'r bardd ynoch chitha, 'se chi ddim ond yn sgrifennu lawr mewn odla y petha a ddywedwch wrtho' i weithia.'

Teimlai Siencyn yn bur flinedig erbyn hyn, ac ar ôl iddynt gyrraedd y ffordd fach a arweiniai i Dy'n-y-llechau dywedodd wrth Deinys na ddeuai ddim pellach gyda hi.

‘Ond cyn i ti fynd, rwyf am ofyn am addewid gennyt. Y pnawn ’ma gofynnaist i mi ofalu y câi Edwart gyfle i ddysgu Sasneg, ac mi roddais fy ngair i ti. Rwyf am ofyn i ti nawr addo i mi y cedwi di ef yn Gymro.’

‘Newyth bach, dyna beth rhyfedd i’w ofyn! Beth arall allai ddod ohono?’

‘Bydd rhaid i ni, ti a fi, ei ddysgu fel bu Catwg yma yn sefydlu eglwys, ymhell, pell, cyn i’r Saeson ddod ffordd hyn erio’d. Ro’dd yr hen Iolo’n dweud iddo fod yn un o’r doethion yn llys Arthur, ond dwn i ddim am hynny. Mr Waring fyddai’n sôn am Iolo byth a hefyd, ac ro’dd gen i barch mawr i Elijah Waring. Ma’ ambell Sais da cystal, neu’n well, na llawer Cymro. Ond rwy’n cofio ’Nhad yn atrodd wrthon ni blant benillion Dafy’ Niclas; ond faint sy’n eu cofio nhw yn yr ardal hon erbyn hyn?’

‘Dwn i ddim byd am y petha ’na, Newyth, ond fe ddysga i Edwart i ddarllen ei Feibl yn Gwmra’g, a’r llyfr emyna.’

‘Gwnei, mi wn, a falla yr arweinith Pantycelyn a’r lleill e at yr hen farddoniaeth yn y pen draw hefyd. O, yn ogystal ag at yr Hollalluog, wrth gwrs!’ Ychwanegodd y cymal olaf o weld petruster ar wyneb ei nith.

‘Newyth Siencyn, be sy’n bod heno? Ry’ch chi’n swnio’n debyg i Mam rywsut! Ry’ch chitha wedi ca’l diwrnod trwm. Trowch yn ôl nawr, cyn blino rhagor. Ai gweld dyn’on diarth yn dod i’r ardal sy’n ’ych poeni chitha?’

‘Hynny, a sylweddoli ’mod i’n mynd yn hen, a bod y dyfodol yn perthyn i arall. Dyw e ddim yn hawdd derbyn hynny bob amser, wel’ di.’

‘Ond fe all rhai o’r dynion diarth ’ma ddysgu nabod y Cwm a dod i wbod am yr holl gyfoeth sy’n perthyn iddi, yn enwetig rhai gola – fel y Robert Bowen yma, er enghraifft. Peidiwch chi â rhoi i lawr, Newyth annwyl.’

‘Ma’ ’ma gymaint o gyfoeth o bob siort, nes ei bod yn hawdd bodloni ar ran yn unig ohono, yn enwedig y rhai sy am ddod mla’n yn y byd.’

'Wedi gorflino y'ch chi, a dwy'n synnu dim. Rwy inna wedi blino, er mai'r unig waith caled a wnes i o'dd clirio'r eira o'r llwybr ben bora, a dyma fe wedi dadlath! Gallwn fod wedi arbed y drafferth i mi fy hun.'

'Do'dd e ddim yn ofer, Deinys fach. Bu ei glirio'n hwylustod mawr i'r sawl fu'n tramwy yco heddi. Ac nid ofer i gyd fu'n sgwrs ninna'r pnawn yma. Erbyn meddwl ro'dd hwnnw'n fath o glirio llwybr.' Roedd Siencyn yn ailafael yn ei ffordd fywiog arferol, ac i'w gysuro ymhellach dywedodd Deinys,

'Bydd yr eira wedi mynd i gyd erbyn y bora. Fe drodd yr awel yn ystod y pnawn. Fel byddai 'Nhad yn dweud, "mae hwn yn dod ar ei union o'r môr".'

Ffarweliodd y ddau â'i gilydd ar ganol y llwybr, ond safodd Siencyn nes i Deinys fynd ymhell o'i olwg. O dan ei anadl wrth droi am adref, adroddodd i'w hunan y pennill a ddyfynnodd Robert Bowen wrth ymadael â Thy'n-y-llechau'n gynharach.

> 'A violet by a mossy stone
> Half hidden from the eye,
> Fair as a star when only one
> Is shining in the sky.'

Ddim cystal â Dafydd ap Gwilym! Ond roedd yn barod i gyfaddef bod rhywbeth digon teg a thrawiadol yn y gymhariaeth. Na, ni fedrai roi unrhyw le i obeithio i Domos Ty'n-y-wern.

GWRTHRYFELA (1891)

Unwaith y soniais wrth Ann am yr hyn a welais yn y papur dyddiol yn siop Tomos John, ni chefais i ddim llonydd ganddi. Y cwbl oedd yn bwysig iddi hi oedd fod Robert Bowen wedi cael niwed. Doedd dim llawer o ots ganddi mai wrth fynd â buwch rhyw ffermwr oddi arno i dalu'r degwm – i lawr yn y wlad rywle – y cododd yr holl helynt. Na, roedd yn ddyletswydd arnom ni i fynd lawr i'w weld; bu'n dad da i mi, a mwy o glod byth iddo taw llystad oedd e. Ofer oedd ceisio egluro iddi'r cywilydd a deimlwn, ac imi ffoi o'r siop cyn i neb o'm partneriaid ddeall fod unrhyw gysylltiad rhyngof fi a bwm-beili, yn enwedig un a orfodai ddyn i dalu treth oedd yn groes i'w egwyddorion. Doedd gan Ann ddim cydymdeimlad, meddai hi, â therfysgwyr o unrhyw siort, ac ni allai weld llawer o gysylltiad rhwng egwyddor a phelto cerrig. Ac er y gobeithiai na fyddai'n rhaid iddi hi, na neb o'i chydnabod, fyth syrthio i grafangau yr un bwm, roedd hi'n siŵr bod angen rhywun i wneud y gwaith hwnnw hefyd.

'Yr hyn sy'n bwysig i ni,' meddai, 'yw'n dyletswydd ni. A beth am Jennet? Wyt ti ddim wedi meddwl shwd ma' hi'n teimlo? Wyt ti ddim yn meddwl y leiciai hi weld ei brawd ar amser fel hyn?'

Gwyddai Ann o'r gorau ei bod yn rhoi ei bys ar yr un peth a gymylai f'ymateb naturiol i'r digwyddiad byth er imi ddarllen amdano. Jennet fach, y siarsiodd fy mam imi gadw llygad arni, a hithau, fe wyddwn yn burion, yn meddwl y byd o'i brawd. Doedd gen i ddim dewis, mewn gwirionedd, ond rhoi mewn i Ann a chytuno inni fynd gyda'r trên 'scyrsion ddydd Sadwrn i lawr i Abertawe. Cefais lonydd ganddi wedyn wrth iddi fynd ati i drefnu pwy arhosai gartref a phwy ddeuai gyda ni, a pha jwncets i'w paratoi i fynd i'r claf a'i deulu.

Ond ni pheidiais ddadlau â mi fy hunan, a newidiais fy meddwl lawer gwaith. Roedd yna rwymyn teuluol, wrth gwrs, ar wahân i Jennet. Fe fu Robert Bowen yn llystad da i mi, a does dim amheuaeth gen i erbyn hyn, na fyddwn i wedi elwa pe bawn wedi gwrando mwy ar ei gynghorion. Ond roedd yn gas gennyf y llwybr a gymerodd ar ôl claddu Mam. Pe bai wedi gwneud rhywbeth hurt yn ei hiraeth, gallwn faddau iddo. Ond rhoi clo ar ei deimladau a throi yn ymennydd i gyd, dyna wnaeth e. Bu'n ddarllenwr mawr erioed, ond yn amser Mam, a ninnau'n dal yn Nhy'n-y-llechau, roedd yn gwmnïwr da, gydag ystôr o storïau am grwydro'r gwledydd i chwilio am gynhaliaeth, a chorff o wybodaeth ganddo am bob math o bethau. Wedi colli Mam mor annisgwyl (wel, pwy a ddisgwyliai iddi, wedi cael dau blentyn, golli ei bywyd ar y trydydd?), cofiaf fel yr eisteddodd yn hir yn y parlwr ar ei ben ei hun noswaith yr angladd wedi i bawb fynd, a minnau ar y llofft yn ffaelu â chysgu, er bod Siwned fach, bron yn deirblwydd, yn cysgu'n drwm yn f'ymyl. Fe greda i iddo ddod o'r parlwr y noswaith honno wedi gweithio mas gynllun cyfan ar gyfer gweddill ein bywydau ni i gyd. Rwyf wedi amau weithiau nad dyna a wnaethai'r dyn erioed – mai rhan o'r un cynllun oedd priodi Mam hyd yn oed, a hynny er mwyn gwella'i stad. Ond mwy na thebyg 'mod i'n mynd rhy bell fan'na waeth yr oedd yn dwli arni, does gen i ddim lle i amau hynny, ac fe fu'n biwr iawn i Mam-gu ac i minnau. Ond gwrthodais dderbyn ei gynllun ar fy nghyfer. Mynnais fynd i'r gwaith, a rhedeg bant i weithio o'i gyrraedd yn y diwedd ... Fy lwc i oedd cwrdd ag Ann, a hi a gymonodd bethau rhyngom. Ond beth pe bawn i'n ffaelu â ffrwyno fy nhymer wyllt eto, a finnau â rheswm digonol i ffieiddio'r hyn y safai drosto? Ond yn ôl at Jennet y dychwelai fy meddwl bob tro. Roedd hi'n ugain oed bellach, ac yn ddigon tebyg i Mam, er heb y sicrwydd tawel a gofiaf a berthynai i Mam; un na fyddai'n breuddwydio gwrthwynebu ei thad meistrolgar. Roedd Ann yn llygad ei lle – byddai angen ei brawd arni, fel na fyddai'n cael ei gadael ar drugaredd y Ffebi yna. Y 'Phoebe' oedd a'i bryd ar wneud ladi fach o Saesnes ohoni!

Wel, fe ddaliasom y trên, a mynd â Griff gyda ni. Mae e'n fach am ei saith oed, ac roedd hi'n ddigon hawdd i'r menywod yn y *compartment* ledu eu sgertiau i'w guddio pan ddaeth y casglwr ticedi i'r trên yn stesion Upper Bank. Sicrhaodd Mag ni ei bod hi'n ddigon hen i ofalu am y tŷ a'r bapa, ond wrth gwrs roedd yn rhaid i Ann drefnu i Riwth ei chwaer alw amser te i wneud yn siŵr fod popeth yn iawn yco!

Roedd yn ddiwrnod ffein o hirddydd haf, a Griff wrth ei fodd yn gwylied yr holl fynd a dod ar y lein, drwy Ystalyfera a Chlydach, a minnau'n esbonio iddo sut roedd y gweithfeydd wedi agor, y naill ar ôl y llall, a'r lein wedi cymryd lle y canel, nes bod bywyd yn wahanol iawn i'r hyn ydoedd pan oeddwn i'n grwt yn Aberdulais. Mae Griff yn ddigon siarp, a sylwai ar bopeth, ond yr hyn y mae'n dal i sôn amdano yw sut y bu inni aros ar yr heol ar ein ffordd o'r stesion i wylio llong yn hwylio allan o'r doc dros y dŵr brwnt, cyn i ni fynd ymlaen ar ein ffordd i ganol y dref. Mi roedd e'n siomedig i ddeall na châi ef fynd, fel rhai o'r plant eraill ar y trên, i'r traeth y diwrnod hwnnw, nes y cofiodd Ann y gellid gweld y môr o'r tŷ yn Mount Pleasant, a bod parc Cwmdoncin ar bwys hefyd.

'Da'cu Bŵen ry'm ni'n mynd i' weld, yntefe?'

'Ie,' atebodd Ann, 'ac Anti Jennet, a ma' Da'cu yn dost yn y gwely, wedi ca'l anap.'

''Sdim eisie iddo alw "Da'cu" arno, na "Mister Bŵen", chwaith, fel ta' fe'n bregethwr neu'n athro,' myntwn i. 'Galwa fe'n "Robert Bŵen" fel rwyt ti'n dweud "Tomos John" neu "Daniel Rees" wrth ein cymdogion!'

Codais y crwt ar f'ysgwydd am un sbel o'r dringo hir a chododd yr haul chwys corfforol arna i, i ychwanegu at y gwres a godai'n ddigon naturiol o'm teimladau. Ond o'r diwedd dyma gyrraedd y tŷ â'r ddwy ffenest fwa, a'r goeden *Monkey puzzle* o'i flaen, manylion a apeliai gymaint at Ann nes iddi dynnu sylw'r crwt atynt, ond y paneli o wydr lliw o gwmpas y drws a aeth â'i fryd ef yn bennaf, wrth inni aros am ateb i'm cnocio. (Dim codi'r latsh a gweiddi fan yma! O, na!) Ond anghofiais i'r allanolion hyn oll pan welais Siwned fach yn agor y drws, a'i hapusrwydd o'n gweld yn ddigamsyniol. Pan ddaeth fy nhro i gael cydio ynddi, a'i dal yn glòs, glòs ata i, sibrydodd, 'I knew you'd come! I just knew it – I knew it!' Roedd ei llygaid gwyrddlas yn llawn, ac er gwaetha'i dillad crand, fy chwaer fach i oedd hi o hyd – Siwned – a'i gwallt yr un lliw â gwallt Mam, er iddi ei droi a'i dwisto yn ôl ffasiwn merched heddiw. Ond roedd hi mor fach, fawr mwy nag Ann, tra oedd Mam yn dal a gosgeiddig.

I lawr y stâr deuai ffigur mawreddog meistres y cartref hwn, Phoebe, yn ei du, ond â llawer o addurniadau gloyw yma a thraw ar ei mynwes helaeth. Roedd yn mwrno ar ôl ei brawd, fe'n hysbysodd; dyna pam roedd Jennet mewn gwisg lwyd, lliw nad oedd yn gweddu iddi. Ond arbedwyd fy chwaer rhag clywed ei bychanu fel hyn, gan iddi eisoes fynd â Griff i dop yr ardd i ddangos iddo'r môr a goleudy'r Mwmbwls.

Tra oedd Ann yn dadlwytho'i basged o'r dorth gyrans, y pice-ar-y-maen a'r deisen lap, clywsom yr hanes gan Phoebe, na siaradai Gymraeg o gwbl, gan y deuai o'r 'Little England Beyond Wales' yr hoffai inni gredu oedd y tu hwnt i Gymru ym mhob rhagoriaeth heblaw'r un ddaearyddol! Roedd 'Poor Dada', fel y cyfeiriai at ei gŵr, yn sigledig iawn ar ôl ei brofiad ofnadwy ar law'r hwliganiaid. Gwelwn Ann yn troi pâr o lygaid arnaf fi gan gyfleu ymbil tyner arna i i fihafio, ynghyd â rhybudd digamsyniol o'r hyn y medrwn ei ddisgwyl ganddi yn nes ymlaen petawn i'n ei siomi. I ffoi rhag Ann, a'r 'insufferable Phoebe' (imi gael dangos i chi bod gennyf innau ddigon o grap ar y Saesneg pan fydd arnaf ei angen!), gofynnais am ganiatâd i fynd lan i'r llofft i'w weld.

Eisteddai Robert Bowen yn ei wely pres, yn erbyn pentwr o obenyddion claerwyn, rhai ohonynt yn ffril-di-ffrals i gyd. Roedd yn ŵr cydnerth, dipyn dros yr hanner cant erbyn hyn, a bu'n ddigon golygus cyn i Ryfelwyr y Degwm adael eu hôl yn o drwm arno. Roedd ei dalcen wedi ei orchuddio â llieiniau, ac roedd crafad llidus ar un foch o'i gern at ei fwstas, cleisiau tywyll o amgylch ei ên, ac un llygad bron ar gau.

'Fe gawsoch chi hi'n o drwm ganddyn nhw,' meddwn, wrth ysgwyd llaw. 'Beth oedd ganddyn nhw?'

'Picffyrch a phastynau, a'r men'wod a'r cryts yn taflu wyayu clwc gydag ambell garreg yn gymysg â nhw. Dwy' ddim yn disgwyl iti gydymdeimlo â fi, ond diolch iti am ddod i 'ngweld i. Ond shwd glywest ti?'

Wrth imi esbonio 'mod i wedi gweld yr hanes yn y papur dyddiol, cofiais am y cywilydd a deimlwn o flaen fy mhartneriaid, ac fe ddywedais hynny wrtho yn blwmp ac yn blaen.

'Cywilydd am fy swydd?'

'Na, ma' hwnnw'n eitha jobyn, fegan'ta, i rywun â stumog at y peth. Na, yr egwyddor o dalu'r degwm.'

'Rhaid rhoi parch i'r awdurdodau sy'n gweithredu'r gyfraith. Dyn o dan awdurdod ydwyf, fel y canwriad gynt. Ac mae'r apostol Paul yn dweud "telwch i bawb eich dyledion".'

'Ie, ond i bwy mae'r doll hon yn ddyledus? Ry'ch chi'n gymaint o Anghydffurfiwr â minna, serch eich bod nawr yn addoli gyta'r Saeson! Shwd fedrech chi helpu i wthio gormes Eglwys Loegr a'r tirfeddianwyr ar war y ffermwyr, a chitha'n fab ffarm eich hunan?'

'Fel mater o ffaith, Edwart, er na fanylwyd ar hynny yn y papur newydd a welaist di, nid yn rhinwedd fy swydd yr own i yno. Nid yw atafaelu am y degwm yn rhan o'm swyddogaeth i yn y llys sirol. Mynd fel *spectator* wnes i, gan 'mod i'n adnabod y cyfaill o'dd yn gweithredu dros yr Eglwys.'

'Gwaeth fyth, os aethoch yno o'ch gwirfodd, i gwnnu llawes rhywun o'dd yn gwthio gormes ar y tlawd. A dyna shwd gyfeillion sy gyta chi nawr, iefe? Ma' petha'n wa'th nag own i wedi credu!'

'Fues i ddim erio'd yn cefnogi terfysgwyr! Doeddwn i ddim yn un o blant Beca'r noson honno!'

'Roeddech chi'n rhy ifanc! Ond ro'dd gennych feddwl mowr ohonyn nhw unwaith – neu felly ddwedsoch chi gynt.'

'Ie, ond ma' pethe wedi gwella'n ddirfawr er dyddiau Beca. 'Sdim eisie defnyddio'r dulliau hynny ragor, nawr bod ysgol ymhob pentre a phleidlais gan bawb – bron.'

'Atebwch fi'n blaen! Ydych chi dros Ddatgysylltiad neu beidio?'

'Ydw, wrth gwrs; ond trwy ddeddf Senedd, ac nid trwy penboethiaid yn cymryd y ddeddf i'w dwylo eu hunain. Rhyddfrydwr wyf fi, nid chwyldroadwr!'

'A nes y daw hynny ry'ch chi'n mynd i warantu hawl Eglwys Loegr i arian ffermwyr bach, sy'n cynnal eu capeli eu hunain heb help o bwrs y wlad, a byth yn tywyllu eglwys y plwyf nac yn elwa dim ohoni?'

'Gweithredu'r ddeddf fel y mae yw 'ngwaith i, nid deddfu fy hunan. Gwaith y Senedd yw hynny. Ond fel y dywedais, y diwrnod hwnnw, *innocent spectator* oeddwn i, a dyna peryg *mob violence*, nid yw'n medru anelu'n effeithiol.'

'Wel, fe anelon nhw'n eitha effeithiol atoch chi! Wrth fod yno o gwbwl roeddech yn dangos 'ych ochor. Ddim gyta'r Ymneilltuwyr na'r Cymry! Rhyddfrydwr yn wir!'

'Trwy ddefnyddio fy mhleidlais y bydda i'n ateb mater Datgysylltiad.'

'A phe baech yn Nhy'n-y-llecha heddi fe dalech y degwm ac fe gredech mai dyna ddyletswydd eich brawd yn yr Hendre, a bechgyn Maesyfelin, er ei bod hi'n anodd arnynt i gyd nawr a'r prisiau mor wael eto?'

'Ac rwyt tithau'n awgrymu pe baet ti yn eu lle nhw mai ymhlith y terfysgwyr y byddet ti, yn canu cyrn ac yn rhwystro'r arwerthwr rhag gwneud ei waith, drwy daflu cerrig a'i erlid oddi ar y tir?'

Roedd sŵn ein lleisiau siŵr o fod wedi cyrraedd y llawr, achos pan ddaeth Ann i'r llofft a Griff yn ei llaw, cefais ganddi'r cilolwg sy'n ymbil ac yn gerydd yn un, cyn iddi fynd at y gwely i gyfarch yr hwn a alwai yn ''Nhad yng nghyfraith', gan holi'n dyner am ei glwyfau, a gobeithio nad oedd Edwart wedi ei flino'n ormodol.

'Na, na, ni'n deall ein gilydd, rwy'n meddwl. Chware teg i chi am ddod lawr i roi tro amdana i. Nawr 'te, Griffi bach, rho dy law i Da'cu; paid a cha'l ofon y *bandage*! Wyt ti'n sgolor, dwed? Mynd i'r ysgol bob dydd – dim mitsian, e?' Hyn, wrth gwrs, gan daflu golwg ata i. 'Faint o Saesneg sy gen ti? Gallu deall Anti Phoebe?'

Safai'r crwt yn fud wrth y gwely heb fentro tynnu ei law o law y claf nes iddo gael gorchymyn ganddo i'w rhoi o dan y gobennydd.

'Fe ffeindi di bwrs lledr yno; der â fe i fi.'

Estynnodd Griff wats fawr arian o dan y glustog.

'Na, dyw hi ddim yn bryd iti ga'l honna eto! Ryw ddydd, debyg iawn! Dal di i whil'o.'

Daeth y pwrs i'r fei. Tynnodd Robert Bowen sofren ohono a'i rhoi i Griff.

'Dyma hon i ti, yn fargen rhyngot ti a Da'cu. Wyt ti'n addo gwneud dy ore yn yr ysgol, a cha'l yr addysg ore y gelli di'i cha'l, i ddod mla'n yn y byd?'

Ysgydwodd law â'r crwt eto, cyn troi ata i a dweud, a'i lais yn floesg, 'Fe gariais i un o'r rheina i dy fam unwaith oddi wrth fechgyn Maesyfelin. Fe gewch chi de crand gyda Phoebe, ma'n siŵr, yn y parlwr, ond fydd dim cystal blas arno â'r ffroes rheini a gefais i yng nghegin Ty'n-y-llechau 'slawer dydd.'

Tawelodd y geiriau hyn y cynnwrf a deimlwn wrth wrando ar yr amodau a osododd ar ei rodd i Griff, gan godi'r hen grachen fu ar ein perthynas ni nes i Ann fynnu ein cymodi â'n gilydd cyn i ni briodi. Ond cyn imi orfod dweud dim, daeth Jennet i'r llofft yn cario te i'w thad a'n gwahodd ni i fynd lawr i'r parlwr i gael ein te ninnau. Cyn dilyn Ann a'r crwt edrychais o gwmpas yr ystafell wely braf, gweld y cesandrâr a arferai fod yn Nhy'n-y-llechau, gyda'r Beibl mawr a'r claspau aur arno, fel y cofiwn. Celfi o gyfnod Ffebi oedd popeth arall yno. Sylweddolais yn grwt ifanc y byddai'n rhaid iddo gael rhywun i ofalu am Jennet, ac na ellid pwyso ar gymdogion am byth – ei ddewis o Phoebe oedd mor atgas gennyf. Ac er bod gen innau ddigon o grap ar yr iaith fain erbyn hynny bûm ormod yng nghwmni Newyth Siencyn, a gormod yn sŵn huodledd pregethwyr mawr y dydd, imi gredu bod dim gogoneddus mewn methu â siarad Cwmra'g.

'Gweld llun dy fam yn eisie wyt ti?' holodd y clwyfedig, wrth fy ngweld yn oedi, ac efallai'n synhwyro fy meirniadaeth. 'Mae yn ystafell wely Jennet, ac af yno'n ddirwystr i syllu arno; er prin fod angen llun o Deinys arnaf a'r rhoces yma mor debyg i'w mam – yr un llygaid, yr un gwallt ... Wyt ti ddim yn cytuno?'

Gwenai'r tad o ganol ei ddoluriau ar ei ferch, a oedd wrthi'n taenu jam ar y bara menyn tenau ac yn torri teisen-lap Ann yn ddarnau hwylus iddo i'w trafod. Gwelwn y tebygrwydd, wrth gwrs, ond y gwahaniaeth rhwng fy mam a'm chwaer a'm trawai i, wrth imi nodi absenoldeb rhywbeth oedd mor fyw yn Mam – ei hysbryd, debygwn i.

'Fy mwriad i oedd rhoi'r un hawddfyd i Deinys ag yw Jennet yn ei fwynhau nawr. Ond gwrthododd adael Ty'n-y-llechau ar ôl claddu'r hen wraig. Rown i erbyn hynny'n casglu rhenti i Mr Jones y Cyfreithiwr yng Nghastell-nedd, ac o dan addewid ganddo i gael tŷ braf i lawr yn y pentre. Ond ddôi hi ddim.'

Fflamiodd fy nhymer wyllt eto ac atebais yn fyrbwyll, 'Ie, a chadw'r hen le y dylsech fod wedi ei wneud wedyn hefyd.'

'Deuddeg oed oeddet ti, Edwart, ac roedd gen i gynlluniau mawr ar dy gyfer. Gwelwn ddigon o allu ynot. Ac am ffarmo, oeddwn i ddim yn darllen arwyddion yr amserau'n iawn? Wedi bod yn Canada rown i'n rhag-weld y gystadleuaeth a fyddai'n siŵr o nychu ffermwyr Prydain unwaith y byddai'r rheilffyrdd a'r llongau ager mawr yn cario cynnyrch America a gwledydd eraill drosodd yn gyflym a rhad.'

Cyffesais 'mod i'n ofni bod cystadleuaeth America yn mynd i effeithio'n drwm arnom ninnau yn y gweithiau tun.

'Dyna ti, a 'se ti wedi gwrando arna i fe allet fod yn *engineer* gyda rhyw gwmni mawr erbyn hyn, neu, a tithe'n shwd Gymro, gallet fod o leiaf yn sgwlyn neu'n bregethwr yn y wlad rywle, yn lle bod ar drugaredd Arlywydd America. Ond dyna fe, do'dd dim posib ca'l perswâd arnat ti; cilo bob munud allet ti i lawr i'r canel, ac ar y badau i lawr i Port Tennant. Peth od na fasai hynny wedi codi awydd arnat i weld y byd!'

'Oeddech chi ddim yn gweld mai dilyn ceffyla own i, yr un peth a 'Nhad? Ro'dd e siŵr o fod yn 'y ngwa'd i. A dyna pam y dylsech fod wedi cadw Ty'n-y-llecha – yn lle gadel i'r meistr tir ga'l ei ffordd a'i uno â Thy'n-y-wern; rown i bron iawn yn ddigon hen i'w gweitho hi gyda'ch cyfarwyddyd. Ma' mab Tomos Huws yn cael eitha bywoliaeth ohoni, medden nhw wrtho' i. Pe bai Mam wedi ca'l byw byddwn i yno heddi, a dyna fyddai ei dymuniad hi, a Newyth Siencyn hefyd.'

'Drink your tea, Father dear, before it gets cold, and you go down for yours, Ned. It grieves me to see you two arguing like this.'

'Not nearly as much as it grieves me to see you become a stranger to me, and to my country!' atebais yn wyllt. Edrychodd hithau arnaf fel pe bawn i wedi ei bwrw.

'Ned, Ned, don't call me a stranger, please!' Ond rhedodd o'r lle cyn imi allu dynnu 'ngeiriau 'nôl, a chlywais ddrws ar draws y landin yn cau'n glep.

Cododd cywilydd mawr arna i am yr hyn a ddwedais i, achos ta beth a wnâi Jennet, fedrai hi ddim peidio â bod yn chwaer fach imi, a Mam wedi ei gosod yn fy ngofal. Roedd ei thad yn gynddeiriog, ac roedd ganddo bob hawl i fod, ond profodd ei eiriau nesaf i mi nad oeddwn mor bell o'm lle wedi'r cwbl!

'Mae Jennet yn ca'l yr hawddfyd y dymunais ei roi i dy fam. Cafodd ysgol wnïo dda, fel y gall wneud ei dillad ei hunan ac i Phoebe, a'r hyn sy eisie yn y tŷ, ac mae'n ca'l ei gwerthfawrogi am ei dawn gan y Ladies Guild yn y capel. Pan soniodd am fynd i wnïo yn un o siopau mawr y dre, fel rhywrai o'i ffrindiau, eglurais iddi na fyddai'n rhaid iddi byth ennill ei thamed. Ar ei henw hi mae'r tŷ 'ma, er na ŵyr hi hynny eto, a'm bwriad yw y caiff fyw fel ladi fach yn ei chartre ac yn ei chapel.'

'Ei chadw fel deryn bach mewn catsh, ry'ch chi'n feddwl, yn addurn i'r tŷ ac yn brawf o'ch llwyddiant chi yn y byd! Ond morwyn fach yw hi, mewn gwirionedd, i chi a Ffebi, a rhyngoch chi ry'ch chi wedi mogu ei dyhead hi am annibyniaeth. Ble ma'r gwroldeb o'dd mor amlwg yn Mam? A chitha o'dd mor awyddus i roi addysg imi – ac rwy'n folon cwmpo ar fy mai nawr, rown i'n gibddall – pam na roisoch chi addysg iawn iddi hi, yn hytrach na dim ond gwnïo a chware piano? Do'dd *hi* ddim yn dwp yn yr ysgol chwaith, dim ond yn brin o hunanhyder. A do's dim syndod am hynny chwaith, a Ffebi'n teyrnasu!'

'Paid ti â dweud gair yn erbyn Phoebe yn y tŷ hwn. Mae'n fenyw dda, wedi gwneud aelwyd glyd i mi a Jennet, ac yn dangos pob croeso i tithau pan ddoi di ar dy hynt, er iti roi digon o esgus iddi gau'r drws yn dy wyneb am byth.'

Ymddiheurais am ei thynnu hi i mewn i'r ddadl, gan gydnabod iddi fod yn fwy grasol na mi, ond methu â'i ddeall ef oeddwn. Os oedd merched yn ddigon atebol i weithio yn y gwaith tun, neu i redeg ffarm, fel y gwnaeth Mam-gu a Mam nes iddo ef ddod ar ein traws, oni ddylai merched gael yr un cyfle â bechgyn i gael ysgol?

'Mi ofalaf i fod fy merched i'n ca'l yr un cyfle â Griff, pe bai'n unig i'w gwneud yn llai parod i brioti'r cynnig cynta ga'n nhw.'

'*Agitator,* dyna wyt ti o hyd, eisie troi cymdeithas wyneb i waered.'

'Na, ry'ch chitha'n annheg â fi nawr,' atebais. 'Dwy inna ddim yn chwyldroadwr, ond rwyf *yn* Radical, nid dim ond yn Rhyddfrydwr. Ac rwy'n credu y dylid rhoi'r bleidlais i fen'wod, i ddechra. Edrychwch ar Ann! Fe gytunech, ma'n siŵr, ei bod lot gallach na fi! Chafodd hi fawr o ysgol ddyddiol, a'r hyn a gafodd hi, yn ysgol yr Eglwys, yn ddigon llygredig yn fy ngolwg i – rhyw grap ar y Saesneg, heb ei deall! Ond mae'r Ysgol Sul wedi gwneud mwy na'i dysgu i ddarllen Cymraeg; agorodd y drws i'w goleuo drwyddi draw, a hi sy wedi dod â fi i'r sefydlogrwydd y methasoch chi ei roi i mi.'

Ond Ffebi, nid Ann a ddaeth i'm gwaredu yn awr, gan fy siarsio i fynd lawr at fy nhe – ei bod newydd wneud tebotaid ffres ar fy nghyfer – neu y byddai gymaint a allem ei wneud i ddal y trên saith, a minnau heb weld eto y *rockery* a wnaeth Jennet a'i thad yn y cefn. Am unwaith bu'n dda gen i weld Ffebi ac ufuddhau iddi, er 'mod i'n sylweddoli 'mod i'n gadael galanastra mawr ar fy ôl ar y llofft. Wrth yfed te o'r gwpan denau â'i dolen lletchwith, cyfaddefais wrth Ann 'mod i wedi clwyfo Jennet â'm geiriau byrbwyll a'm tymer wyllt.

'Na, na, chi ddim fod yn gas wrth Nanti Jennet!' gwaeddodd Griff a'i wyneb yn goch. 'Rwy'n mo'yn iddi ddod i fyw ato' ni.'

'Cer di ati i'r llofft, Griff bach,' meddai Ann. 'Rwyt ti'n gwbod lle ma' mynd.'

Doeddwn i ddim yn blasu bod ar fy mhen fy hunan gydag Ann, a dweud y gwir, ond mae Ann yn gallu bod yn dyner weithiau pan wy'n disgwyl cerydd.

'Colli dy fam ar oedran bach lletwith, dyna sy'n dy gorddi di o hyd. Ond gelli di ddim disgwyl ca'l dy ffordd dy hunan ymhob peth, wel' di, a dylet fod wedi tyfu lan erbyn hyn, a thitha'n dad i dri o blant! Rhaid iti dderbyn bod gormod o amser wedi mynd iti allu newid petha, a fedri di ddim newid Jennet chwaith. Cafodd ei chodi mewn amgylchiada gwahanol i ti.'

Aeth Ann ymlaen yn ei ffordd hamddenol i egluro y gallai Jennet ddod yn ôl ac ymlaen aton ni pryd y leiciai hi, ond dim ond plentyn, fel Griff, a allai feddwl y setlai hi lawr mewn pentre mor Gymreigaidd. Merch y dre oedd hi bellach, a byddai ei gwisg, a'i Saesneg, yn ei phellhau wrth ein ffrindiau ni – rhai yn ofni nad oedden nhw'n ddigon da iddi, ac eraill 'fel ti, Ned, yn mynd ati ar unwaith i'w throi'n ôl yn Gymraes, a tharfu arni. Na, gan bwyll, gan gadw cysylltiad, dyna i gyd y gallwn ni ei wneud.'

Gan newid ei thôn aeth ymlaen, 'Ar ôl iti gwpla dy de rhaid iti fynd lan i'r llofft at Jennet, ac af innau at Robert Bŵen i drio cymoni pethe fan'no cyn ymadel. Fe gawn ni wagen o waelod y tyle i'n cario i'r stesion, medd Phoebe, ond bydd rhaid inni gadw llygad ar y cloc. Cer i ofyn i Jennet ddangos ei gardd fach newydd i ti.'

Wel, siawns i Phoebe ddysgu mwy na'r ffordd i ddenu gŵr pan oedd yn forwyn gyda Jones y Cyfreithiwr yng Nghastell-nedd, ac yn sicr câi gysur o weld bysedd y cloc yn arwain at derfyn arhosiad y Rebel yn ei thŷ trefnus y prynhawn hwnnw – ac wrth gwrs ni wn i beth yn gwmws a basiodd rhyngddi hi ac Ann wrth y bwrdd te, achos dwy' i ddim yn honni deall menywod! Ond daeth i'm cwrdd pan glywodd fi ar y stâr.

'I think Jennet wants you to see her room, Ned; it's been freshly papered. Call Ann to help me change Dada's bandages, before he gets too tired.'

Yn ddigon llwfr es i at stafell Jennet. Roedd y drws yn gilagored a gwelwn hi a Griff yn eistedd yn glòs at ei gilydd ar erchwyn y gwely, a'u sylw mor llwyr ar y llyfrau wedi eu taenu arno o'u blaen, fel na chlywsant fi'n dod i mewn. Griff a'm gwelodd gyntaf.

'Ma' Nanti Jennet yn deall Cwmra'g, 'Nhad! Ma' lot o lyfra ganddi, ond ma'n nhw'n rhy galed i fi.'

'They were Uncle Siencyn's,' meddai Jennet, 'and they are hard! You take them, Ned. You should have had them then, but you had left home ... It's mostly poetry; you take them now, and give them to Griff one day. I'll never forget dear Uncle Siencyn anyway.'

Dim gair o gerydd ganddi, yn hytrach rhodd! A gwell na'r cwbl gwelwn nad oedd wedi peidio bod yn ferch i Mam a Newyth Siencyn yn ei chalon. Cydiais ynddi a chladdu fy wyneb yn ei gwallt. Crefais arni am faddeuant am fy ngeiriau ffôl a'm tymer wyllt, a etifeddais, efallai, gan fy nhad.

'Wyt ti'n deall fi, Siwned? Fy chwaer fach annwyl! Dyna wyt ti i mi. Anghofia beth wedes i gynne – elli di?'

'Of course I understand! Both the Welsh, and the circumstances. In a way you are right too. But what can I do, while they both depend on me – perhaps more than they realize.'

'Ann will find a way. Cadwith hi ni'n glòs.'

'And Griff here! We are good friends, aren't we Griff?'

Aethom ein tri i ystafell wely ei thad, fi yn y canol a braich am bob un. Roedd yntau wedi ffresio ar ôl cael ei drin, ac un lliain yn llai ar draws ei dalcen. Casglodd Phoebe y tywelion at ei gilydd i'r badell ac estynnodd y piser pres gwag i Griff ei chario drosti, i lawr y stâr.

'Bydd yn rhaid inni droi am y stesion cyn bo hir,' meddai Ann wrth Robert Bowen. 'Beth 'se chi'n dod lan i ga'l cryfhau yn aer y Mynydd Du yn nes ymla'n?'

'Fyddai dim lot o groeso i fi yn siop Tomos John am dipyn!' atebodd, ond doedd dim surni yn ei lais, yn wir roedd golwg ddigon direidus yn yr un llygad y gallwn ei gweld.

'Ond beth am wahodd Jennet? You'd like that, girl, wouldn't you?'

'Of course! But only when you are quite well again.'

Felly, ar ôl i mi ganmol yr ardd, ac i Ann dderbyn twff o rosynnau oddi yno gan Phoebe, gadawsom hwy, mewn cymod os gyda rhyddhad o'r ddwy ochr. Yn y trên ategodd Ann sylwadau ein cyd-deithwyr inni lwco gyda'r tywydd. I mi ymddangosai'r hen gwm yn hyfryd o ffenest y trên, gyda digon o gaeau gwyrdd i'w gweld unwaith y gadawsom Dreforys, a'r hen fryniau'n dal heb fawr o ôl y creithiau a wnaeth dynion arnynt. Yr ochr draw iddynt roedd Cwm Nedd, lle gorweddai Mam, ac Wncwl Siencyn gyda'i 'Pegi', fel y cyfeiriai at ei briod, a gollodd ymhell cyn fy ngeni i erioed. Sylweddolais fod Ann yn fy holi sut bapur wal oedd yr un newydd yn stafell Jennet, na chafodd hi gyfle i'w weld. Roedd yn rhaid i mi gyfaddef na sylwais arno o gwbl. Ond medrodd Griff roi eitha disgrifiad iddi. Rhosys pinc a rhubanau glas ar bapur gwyn sheinog, mynte fe. 'Wel, mi gaf ei weld y tro nesa,' meddai Ann, yn ddigon bodlon.

Ac roeddwn innau'n ddigon bodlon iddi sôn am 'dro nesaf', ac yn falch nad oeddwn i wedi cau'r drws am byth, serch imi fyhafio'n ddigon trwsgl. Ac ar yr un pryd cefais innau gyfle i roi fy safbwynt yn ddigon clir, fel nad oedd angen arna i gywilyddio o gwbl yn siop Tomos John – nac o flaen fy ngweinidog chwaith.

STORÏAU ISAAC A MARGED 1866-1886

GOLLYNGDOD

Pegiodd Marged y dilledyn olaf ar y lein. Gwyliodd ei golch yn ysgwyd yn yr awel am funud cyn cydio yn y fasged wellt, mor ysgafn yn awr, a cherdded â'i chamau mân, cyflym i lawr llwybr serth yr ardd nes cyrraedd pen y steps. Oedodd yno cyn disgyn i'r tŷ, i chwilio'r llwyn gwsberis ar ymyl y llwybr. Wedi ei bodloni bod modd plataid ar ôl yno eto, ystwythodd ac edrych ar draws y cwm. Ei thŷ hi oedd yr olaf yn y rhes uchaf o dai'r Cwmni. Dechreuai'r mynydd yr ochr arall i glawdd yr ardd gan redeg i lawr gyda'i ymyl ar y dde. Rhyngddi a gerddi'r rhes nesaf ymestynnai llwybr cleiog wedi ei gochi gan sindrins o dip y gwaith tun. Cryn bellter i lawr o'r tai hyn a'u gerddi, rhedai'r heol fawr gyda'i thai, ei thafarnau a'i chapeli, a'r tu hwnt iddi hithau parhâi'r mynydd i ddisgyn, yn ddibyn serth, creigiog, llawn drysni a choed cyll, heb erddi na thai arno, ddeugain troedfedd arall i lawr i wastadedd y dyffryn, lle llifai afon Tawe, a'r gamlas, heibio i'r gwaith tun a'r rheilffordd. Ond ni welai Marged ddim o'r dyffryn o'r llwyn gwsberis ar yr ucheldir. Edrychai hi ar draws y cwm at y mynydd uchel a godai'r tu draw i'r afon, ac yn awel y bore braf hwn ni welai rhyngddynt ond cryndod ysgafn y gwres a fyddai'n llethol erbyn hanner dydd i lawr yn y pentref. Gwelai gysgodion ar gopa'r mynydd ond gwyddai y symudai'r rheini wrth i'r haul godi yn yr awyr. Mor braf, meddyliodd, fyddai gallu ei bwrw ei hunan i lawr ar laswellt yr hen fynydd hwnnw, ac anghofio popeth – am yr ysgolfeistr, ac am Isaac, ac efallai pan godai y byddai'n gwybod beth i'w wneud, neu efallai byddai wedi anghofio'r cwbl! Ysgydwodd ei phen a rhoddodd ysgytwad fach i'w hysgwyddau i'w hatgoffa'i hunan ei fod yn fore Llun.

Bore Llun, dechrau wythnos arall yn niwedd Mehefin 1866, a go brin y câi Marged Morus, gwraig Isaac, rôltyrner yng ngwaith tun y Cyfyng, a mam i bedwar o blant, amser i freuddwydio eto cyn y Sul nesaf. Pan fyddai'r gweinidog ar ganol ei bregeth nos Sul y deuai'r cyfle nesaf iddi freuddwydio fwy na thebyg, a'r pryd hynny dim ond os byddai'r plant yn bihafio!

Tra oedd hi'n clirio'r twba golchi ac yn ei roi ar ben y steps i sychu yn yr haul, rhedodd Richard bach, pump oed, o'r tŷ i'w hysbysu fod ei dad-cu yno. Prin y medrai Marged weld neb yn y gegin pan aeth i mewn o'r haul, ond croesodd yn reddfol at y cawell wrth ochr y tân i sicrhau fod y baban yn dal i gysgu'n esmwyth. Wrth i'w llygaid gynefino â thywyllwch y gegin gwelai ei thad yn y gadair freichiau yr ochr arall i'r tân, Henry ar ei lin a Richard erbyn hyn yn sefyll yn stond rhwng ei goesau. Diolchodd unwaith eto yn ei chalon nad aeth ei rhieni'n ôl i'r wlad pan aeth gwaith pwyswr yn rhy drwm i'w thad.

'Dy fam halodd fi lan; meddwl y gallwn i fynd â'r crots am dro, iti ga'l bwrw mla'n â'r golchi.'

'Mo'yn mynd i dŷ Mam-gu,' gwaeddodd Henry.

'Mo'yn mynd am wâc!' cywirodd Richard.

'Cha'n nhw ddim cam, dere di,' meddai ei thad o weld Marged yn petruso.

'Shwd ma' Lisi drws nesa'r bore 'ma?' holodd Marged.

''Sdim niwed yno; mae'n well heddi. Ond chaiff y plant ddim mynd ati nac i dŷ neb. Fyddan nhw'n reit i wala gyta ni.'

'O'r gora,'te. Ond alla i ddim llai na chredu fod yr hen ddolur yma'n gatshin ofnadw. Odych chi wedi cl'wed am rywun arall ers neithwr?'

Ysgwyd ei ben a wnaeth ei thad. 'Dyw hi ddim agos cynddrwg â'r tro o'r bla'n, rhyw ddeunaw mlynedd 'nôl. Ma'r doctoriaid yn ei deall hi'n well erbyn hyn.'

'Olreit!' meddai Marged wrth y cryts oedd yn tynnu wrth ei ffedog, 'ond cadwch chi o dai pobol. A dowch â nhw 'nôl marce pump, 'Nhad, erbyn daw Ifan ac Isaac o'r gwaith.'

'Siaradodd Isaac yn dda yn y Gyfeillach neithwr, Marged,' ebe'r hen ŵr, tra sychai ei ferch wyneb a dwylo'r plant. 'Ro'dd yn llygad ei le, 'ed; ma' eisie mwy o ddisgyblaeth yco, ry'm ni wedi mynd ddim yn ots i ryw enwad arall erbyn hyn. Ro'dd dy fam a fi'n falch ohono. Ma' Isaac yn ddyn *reit* iawn, on'd yw e, Marged? Wrth gwrs ro'dd Jane Ifans a rhai o'r men'wod yn wilia â'i gilydd nad amser i sôn am dorri mas o'dd hi nawr, a'r holl gladdu yn y lle ar hyn o bryd; mai cysur o'dd angen pobol nawr. Wedi ca'l ei chythruddo o'dd hi gan fod y ferch, medden nhw, wedi dechre mynd at yr Annibynwyr gyda'i sboner.'

'Ro'dd y brodyr wedi gofyn i Isaac bron fis yn ôl i siarad ar ôl y cymundeb neithwr – cyn i'r hen glefyd 'ma dorri mas.'

'Paid ti â becso dim; gwedodd dy fam hynny wrth Jane Ifans, a gwedodd hi hefyd shwd un piwr yw e i ti a'r plant.'

'Beth ga's Mam i ddweud hynny, 'Nhad?'

'O, Jane wedodd taw dyn caled o'dd Isaac. "Ry'ch chi'n lwcus," meddai, "bod Marged shwd un hapus, yn gallu towlu pethe bant yn rhwydd." Ond paid ti â hido beth ma'n nhw'n weud. Ti sy'n ei nabod e ore.' Arhosodd yr hen ŵr gan ddisgwyl i Marged ddweud gair o gadarnhad. Yna ni fedrodd beidio â holi,

'Mae e *yn* biwr iti, on'd yw e, Marged?'

'Wrth gwrs, 'Nhad bach, wrth gwrs ei fod e'n biwr i fi! Fi yw'r feistres yn y tŷ 'ma, os taw e yw'r meistr yn y Meline – ac yn y Sêt Fawr!'

Ni fedrodd yr hen ŵr gadw nodyn o ryddhad a buddugoliaeth o'i lais. 'Dyna beth wedais i wrth dy fam; ei fod e'n meddwl cym-aint ohonot ti heddi ag ar fore'ch priotas. Wel, bant â ni, bois bach.'

Daeth Marged yn ôl o'r heulwen i'r gegin ar ôl gwylio'i thad a'r bechgyn yn mynd ar eu hynt. Cysgai'r baban o hyd, a disgynnodd tawelwch annisgwyl ar y tŷ top. Croesodd hi'r cyntedd cul i'r parlwr bach i nôl y dillad parch a drawodd yno'r noson cynt. Aeth ati i'w brwsio'n ofalus cyn eu rhoi i gadw yn y cwpwrdd ar y landin i aros tan y Sul nesaf. Wrth drafod siwt ddu Isaac daeth geiriau ei thad yn fyw i'w meddwl. Gwelai i'w rhieni deimlo rhyw anesmwythyd oherwydd geiriau Jane Ifans. Wel, ni ddywedai hi'r un gair wrth neb yn erbyn Isaac. Yn wir teimlodd hithau'n falch ohono neithiwr. Nid oedd neb mwy golygus nag ef yn Soar i gyd, gyda'i wallt du gloyw, a'i lais – ie, ei lais yn fwy na dim. Nid oedd berygl fod neb ym mhen pella'r galeri wedi methu â chlywed yr hyn oedd ganddo i'w ddweud. Ac ni fyddai neb yn holl drwst y gwaith tun heb glywed ei lais pan godai ef ei gloch! Ond ni wyddai neb ond hi am y mêl a'r melfed a ddeuai i'r un llais ar adegau. Beth wedodd Jane Ifans? 'Dyn caled, lwcus bod Marged yn gallu towlu pethe bant'. Ddydd Llun diwethaf byddai hi, Marged, wedi chwerthin yn iachus am ben y geiriau hyn, a dweud wrth ei thad, 'Do's neb ohonoch yn nabod Isaac fel fi, a galla i ei droi e rownd fy mys bach! Ac wedi ei ddweud, a'i gredu, bob gair – nid dweud celwydd fel y gwnaeth gynnau. Safodd a'r brws dillad yn ei llaw, a wasgod *sealskin* Isaac ar y ford o'i blaen, a chydnabod yn ei chalon mai celwydd ydoedd. Am y tro cyntaf ers priodi, dros ddeng mlynedd yn ôl bellach, roedd hi wedi methu â chael Isaac i wneud yr hyn a fynnai hi.

Wrth ddodi'r dillad i gadw aeth meddwl Marged dros y ddadl fu rhyngddynt nos Sadwrn. Ni fedrai ei alw'n gweryl, ond gadawodd boen a chwerwder ar ei ôl nas profodd erioed o'r blaen.

Yn hwyr brynhawn Sadwrn daeth y sgwlyn yno; cnocio'r drws ffrynt a gofyn am air gydag Isaac. Ond roedd Isaac wedi mynd i roi tro am yr hen John Dafis oedd yn tynnu at y terfyn. 'Wel, Mrs Morus,' meddai, ar ôl iddi ei dywys i'r parlwr. 'Dod i ofyn i Isaac Morus oeddwn i oni wnâi ailystyried tynnu Ifan o'r ysgol mor ifanc. Meddwl efallai nad ydoedd wedi sylweddoli mor addawol yw'r bachgen.'

Chwarae teg iddo, daethai â llyfrau ysgol Ifan gydag ef gan dynnu sylw at ei lawysgrifen daclus. 'Os caiff e gyfle, fe wnaiff farc, rwy'n siŵr o hynny. Rhaid eich bod chwithau wedi sylwi bod rhywbeth arbennig yn Ifan?'

O oedd, roedd hi wedi sylwi bod Ifan yn hoff iawn o ddarllen. Meddyliodd am yr holl gwestiynau a holai na fedrai hi, nac Isaac chwaith pe bai'n onest, mo'u hateb. 'Ma'r plentyn hwn yn rhy henaidd i fyw,' meddai Sara'r Llaeth ryw fore, pan oedd Ifan wedi gwneud rhyw sylw neu'i gilydd wrth ddal y jwg iddi, a'r noswaith honno wrth ei ymolchi, sylwodd Marged o'r newydd mor eiddil oedd ei gorff. Ond pan rannodd ei phryder â'i gŵr, ateb hwnnw oedd bod eisiau ei galedu.

'Rhaid iddo ddod i'r gwaith 'da fi. Ma' eisie crotyn ar hyn o bryd i helpu gyda'r Shêrer.' Wrth gwrs dyna'r arfer, mynd i'r gwaith gyda'r wyth oed, ac ni ddywedodd Ifan ddim yn erbyn mynd, chwaith, dim ond ei fod yn falch bod Tomos y Shêrer i'w weld yn 'ddyn ffein'. Ond bnawn Sadwrn, pan ofynnodd ei fam iddo ar ôl i'r ysgolfeistr adael, a hoffai fynd yn ôl i'r ysgol, llanwodd ei lygaid, er y cwbl a ddywedodd oedd 'Mam!' A dyna'r gri a glywai hi yn ei chlustiau byth er hynny, a dyna oedd yn gyfrifol am ei holl annedwyddwch.

Addawodd hi i'r athro y siaradai ag Isaac, a phan glywai yntau ei farn am Ifan ni chredai lai na fyddai'n gwerthfawrogi ei gyngor.

'Mae'ch priod mewn swydd dda, nid yw fel pe bai'n rhaid i chi wrth yr arian, fel mewn llawer achos, gwaetha'r modd.' Ond pan soniodd hi wrth Isaac y noson honno, ar ôl cael y plant i'r gwely, trodd ef arni'n ffyrnig.

'Pa ddwli yw hwn sy'n mynd mla'n yn 'y nghefen i? Rhaid i'r crotyn ddysgu gweitho. Plygu eu cefne nhw'n ifanc sy ore. Os o's rhywbeth yn y crwt, fe ddaw i'r golwg.'

Yn ofer yr ymbiliodd Marged efallai y caent ei weld yn bregethwr mawr. Ateb chwyrn Isaac oedd nad addysg oedd yn gwneud pregethwr; ac os câi Ifan ei alw gan y Brenin Mawr byddai'n ddigon buan iddo ymroi i'w lyfrau bryd hynny.

'I 'mhleso i, 'te?'

'Dy bleso di? Marged fach, beth wyt ti'n ddeall am bethe fel hyn? Gweitho na'th dy dad erio'd, a 'sdim eisie gwell dyn nag e. O'r wlad i'r gwaith es inne, ac rwy'n mynnu gwneud dyn o'r crwt 'ma.'

Nid oedd rhagor i'w ddweud. Pan aethant i'r gwely, aeth Marged, yn ôl ei harfer, i sicrhau nad oedd y plant wedi cicio'r dillad gwely oddi arnynt. Er na throdd Ifan ati, na dangos dim, synhwyrai ei fam ei fod ar ddihun, ac wedi clywed y cwbl. Ychydig a gysgodd hithau, a thawedog y bu hi ar hyd y dydd, gan fwrw i'w gorchwylion gyda mwy o egni na'i harfer ar y Saboth. Tawedog oedd Isaac hefyd,ond felly y byddai ef pan oedd siarad yn y Cwrdd ar ei feddwl. Ni soniodd hi'r un gair wrth Ifan, er sylwi fod ei lygaid yn ei dilyn. Ar y ffordd i'r Cwrdd yn yr hwyr sibrydodd ef wrthi, "'Sdim gwahaniaeth, Mam; ma'r Gwaith yn olreit.' A'r bore hwn, felly, cododd am bump fel arfer ac aeth yn ei grys bach a'i ffedog wen gyda'i dad tua'r Gwaith.

Torrwyd ar synfyfyrion Marged gan y baban yn deffro. Cododd hi i'w chôl gan ei hanwylo. Dyma eilun ei thad, gyda'i gwallt rhuddgoch a'i llygaid mawr. 'Yr un fath â ti yn gwmws, Marged, a bydd yn llawn hiwmor a sbri fel tithe, gei di weld.' Roedd ef wedi hen benderfynu na châi Leisa ddim mynd i agor plâts; na, fe gâi hi ysgol wnïo.

Tra oedd wrthi'n trin y fechan dyma gnoc awdurdodol ar y drws ffrynt, ond cyn i Marged ei gyrraedd i'w agor camodd gwraig fechan sionc, o gwmpas y trigain oed, i'r cyntedd.

'Mam yng nghyfraith!' meddai Marged mewn syndod. 'O ble yn y byd y daethoch chi? O's 'na rywbeth yn bod?'

Rhoddodd y wraig ei basged i lawr ar ganol llawr a dechrau ei gwacáu cyn dweud dim.

'Coesgen mochyn, tipyn o flawd ceirch, menyn a wyau sy gen i i chi. Bwyd y wlad, y gellwch ei fyta'n ewn, heb fod trwy ddwylo pawb, na sefyllian yn ffenestri siopa! Ych-a-fi! Wn i ddim fel y gellwch fyw yn shwd le, ynghenol y mwg a'r llwch! Ond y mae beth yn iachach lan fan hyn, rhaid dweud, er imi bron â cholli'm hana'l wrth ddringo.'

Eisteddodd yn y gadair fawr ac estyn ei breichiau am y baban, ond sgrechian a gwasgu ei hwyneb yng ngwddf ei mam wnaeth Leisa.

'Fe ddaw hi'n gyfarwydd yn y funed; ond ble ma'r lleill? Wedi dod i weld y plant wyf fi'n benna heddi, ac ar fusnes pwysig.'

Eglurodd Marged fod Henry a Richard gyda'i rhieni, a bod Ifan gydag Isaac yn y gwaith ers pythefnos, ac na fyddent adref lawer cyn pump.

'Rwyf bownd o weld y plant bach, beth bynnag, cyn a' i'n ôl. I hynny y dois i.'

'Ewch chi ddim 'nôl heno! Pam na fasech chi wedi hala i ddweud 'ych bod chi'n dod?'

'Wyddwn i ddim fy hunan nes ar ôl y Cwrdd neithwr. Jâms y Carrier ddigwyddodd sôn ei fod yn dod y ffordd hyn heddi ac yn ôl heno, ac fe ofynnais iddo a gawn i ddod gydag e. Dyn teidi iawn yw Jâms, dyn am ei Gwrdd. Ond ma'r siwrne wedi 'mlino'n lân, bob cam o Gaeo, a godro cyn dod. A dechre 'nôl am bedwar o'r gloch, lawr ar yr heol fawr, wrth Siop yr Oen.'

'Mi wna i fwyd ar unwaith,' meddai Marged, gan nôl lliain gwyn o'r seld. 'Sbâr cin'o ddoe sy gen i,' ychwanegodd yn ymddiheurol, ond torrodd y wraig ar ei thraws.

'Nid dod yma i wledda wnes i; bydd beth bynnag sy ar ga'l yn gwneud y tro. Rhaid imi drin fy mater â chi nawr, gan na welaf Isaac, a falle y bydd hynny lawn cystal. Yr hen golera 'ma sy wedi fy nhynnu i yma heddi. Ry'ch i gyd yn agos iawn at fy nghalon, er nad y'm ni'n gweld pŵer ar ein gilydd. Rwyf wedi diolch i'r Bod Mawr lawer gwaith am arwain Isaac at ferch grefyddol, achos rwy'n gwbod o'r gore mai dyn nwydus a thymherus yw Isaac. Ond 'merch i, menyw go blaen wyf fi, yn dweud beth sy ar 'y meddwl, ac rwy'n gobeitho na wnewch chi ddim digio wrtho' i. Byddai'n well gen i heddi pe bai Isaac wedi priodi Methodist fel fi, neu hyd yn oed Eglwysreg, unrhyw beth ond Baptist! Nid 'mod i wedi poeni dim am hyn nes da'th y sôn am y colera, ond mae wedi fy mhoeni byth ers imi sylweddoli bod y plant bach 'ma heb eu bedyddio, ac y gallen nhw fynd i'w haped fory nesa, a heb fod ar enw Crist.'

Plygodd Marged dros y sosban datws ar y tân yn falch o'r cyfle i guddio'r wên a fynnai ddod i'w hwyneb. I feddwl fod yr hen wraig annwyl wedi dod yr holl ffordd i ddweud hyn wrthynt!

'Rwy'n ofni bod Isaac gymaint o Fedyddiwr â minne erbyn hyn, os nad yn fwy! Dylsech fod wedi ei gl'wed yn y Gyfeillach neithwr ddiwetha yn ei dweud hi am nad y'm yn glynu'n ddigon clòs wrth ein hegwyddorion!'

'Nid wy'n dishgwl i chi nac Isaac droi,' mynte'r wraig fach, ac fe glywai Marged yr un pendantrwydd yn ei llais hi ag yn llais ei mab, 'Ond ma'n ddyletswydd arna i i weld bod y plant bach diniwed hyn yn ca'l eu bedyddio.'

'Mi ddyweda i wrtho, wrth gwrs, am 'ych dymuniad, ond rwy'n ofni na wnaiff byth roi i mewn i'ch cais.'

'Nid wy'n bwriadu mynd oddi yma heb weld y plant bach yn reit.'

Wrth iddi orffen paratoi'r cinio, a'i mam yng nghyfraith yn golchi i ffwrdd ludded a llwch ei siwrne, dechreuodd Marged ddychmygu beth ddywedai Isaac pe deuai adref o'r gwaith a chael bod y plant wedi eu taenellu! Roedd y peth yn amhosibl wrth gwrs, ond ni fedrai atal chwerthiniad bach, y cyntaf ers dau ddiwrnod. Mi fyddai'n jôc *first class* yn ei erbyn! Dyna beth fyddai siglo tipyn ar ei falchder – y sôn yn mynd ar led fod plant Isaac Morus o bawb wedi cael eu taenellu, ac yntau yn y gwaith! Ond wrth gwrs roedd y peth yn gwbl amhosibl!

Dros eu cinio aeth y fam yng nghyfraith yn ôl at y mater a gyfrifai yn hollbwysig

'Dewch, mwstrwch, 'morwyn i. Ewch i nôl y gweinidog Methodist, a'r ddau fachgen o dŷ eich mam, neu yn wir mi af fi i'w nôl fy hunan. Cewch eu bedyddio nhw eto ar ôl iddyn nhw dyfu lan, os mynnant, ond gwnewch hyn nawr i bleso hen wraig.'

Prin y medrai Marged fwyta dim, ond nid oherwydd pwysigrwydd athrawiaethol y penderfyniad oedd i'w gymryd; yn wir anghofiodd am hynny! Yr ergyd i awdurdod Isaac oedd yr unig wedd ar y mater a welai bellach. Erbyn gorffen y pryd bwyd roedd wedi gweld ei ffordd drwy'r dryswch.

'Mam yng nghyfraith,' meddai, 'wiw i fi fynd at Mr Jenkins y Methodist fy hunan, ond wna i ddim sefyll yn 'ych ffordd chi i'w nôl, gan 'ych bod chi'n rhoi shwd bwys ar y peth. Dangosa i i chi lle ma'n byw, ar fy ffordd i nôl y plant o dŷ Mam, i chi ga'l eu gweld nhw, beth bynnag, cyn ewch chi 'nôl.'

Ac felly y bu. Ni soniodd Marged wrth ei rhieni fwy na bod eu mam-gu wedi dod o'r wlad i weld y plant ar ôl clywed am yr hen golera, a'i bod ar frys mawr i fynd yn ôl.

Roedd golwg syn ar Mr Jenkins y Methodist pan gyrhaeddodd y tŷ pen yn y rhes uchaf, lle na rhoddasai ei droed erioed o'r blaen, ond roedd mam Isaac wedi egluro'i sefyllfa iddo, ac erbyn i Marged a'i meibion gyrraedd yn ôl, roedd hi wedi paratoi'r basin ymolchi gorau ar ford y parlwr, yn ymyl y Beibl Mawr, ar gyfer y weithred.

Ac felly y taenellwyd y prynhawn hwnnw, yng ngwydd eu mam-gu o'r wlad, Richard, Henry ac Elizabeth Morus. Arhosodd eu mam wrth law, ond yn y cyntedd.

Ymhen awr arall roedd Mam-gu ar ei ffordd yn ôl i'r wlad yn nhrap Jâms y Carrier, a Mr Jenkins y gweinidog ar ei ffordd i'r fynwent i gladdu'r diweddaraf o laddedigion y geri marwol.

Plygodd Marged y lliain bwrdd gwyn a'i roi yn ôl yn nrâr y seld i aros y Saboth nesaf, yna aeth i fyny llwybr yr ardd i gyrchu'r dillad oedd wedi sychu'n grimp yn yr haul. Diflannodd pob cysgod erbyn hyn o gopa'r mynydd gyferbyn, ac fe symudodd y pwys oddi ar galon Marged hefyd. Doedd Isaac ddim yn feistr ar bob amgylchiad, hyd yn oed ar ei aelwyd ei hun! Ac nid oedd Jane Ifans mor bell o'i lle chwaith!

'Fe biga i'r gwsberis i gyd heddi,' meddai wrthi ei hun. 'Ma' Isaac mor hoff o ga'l tamed o darten yn ei focs bwyd.'

DIWRNOD I'W GOFIO (1891)

Wedi hebrwng Martha Edwart at y drws, trodd Marged 'nôl i'r parlwr a'i llyfr cownt. Rhedodd ei bys i lawr y ddalen. Do, talasai Martha ei dwy geiniog yr wythnos yn gyson ers dechrau'r flwyddyn, heb dynnu dim i maes amser Pasg, fel gwnaeth cymaint. Roedd ganddi fwy na digon fel'ny i gael modd dau grys bach o wlanen lwyd. Druan o Martha, gallai wneud y tro â siôl fach newydd ar ei gwar ei hunan! Penderfynodd Marged fentro dod â dwy siôl fach, i'w cadw yn y cesandrâr nes byddai galw amdanynt. A dwy siôl fagu? Byddai eisiau un ar Nansen i'r wyres pan ddeuai'r amser, cyn bo hir nawr, i'w dodi hi yn y gwely. Ond pwysicach fyth oedd cofio i Mari ofyn am bum llath o'r wlanen wen â llinell fain. Gwenodd Marged wrth feddwl am ei merch yng nghyfraith newydd. Ar gyfer crys gorau i Ifan roedd yr ordor hwn, fegynta; pa bryd fyddai eisiau siôl fagu yno, ys gwn i? Fe ofalai hi y câi yr un ffeina posib bryd hynny, o liw hufen!

Ond dyna ddigon ar freuddwydio! Rhaid llenwi papur ordor yfory. Rhoddodd Marged flaen y blacled ar ei gwefus cyn ei bwyso'n drwm ar y ddalen a dynnodd o ganol ei llyfr cownt ac ysgrifennu'n araf:

> un siôl fawr
> dwy siôl fach
> saith llath o wlanen lwyd
> pum llath o'r wlanen wen orau
> deg pwys o wlân sanau.

Llwyth go drwm iddi hi a Leisa ei drafod, ond fe gaent ddigon o ddwylo caredig i'w helpu wrth newid ym Mhantyffynnon, rhwng gwŷr y lein a'u cyd-drafaelwyr. Ond byddai'n rhaid gwneud yn siŵr y deuai Isaac i'w cwrdd yn y stesion ar ôl cyrraedd 'nôl. Roedd heol y stesion yn dechrau dweud arni nawr. Doedd dim disgwyl bod dyn cystal wedi troi'r hanner cant! A waeth iddi gydnabod na fu hi fyth yr un peth wedi'r enedigaeth ddiwetha. Byddai'r un fach yn saith nawr, pe bai wedi cael byw. Ond rhaid bod yn ddiolchgar, a Leisa wedi cael tŷ yn y rhes, er y gwyddai fod rhai yn edliw mai ffafraeth i Isaac a'i sicrhaodd iddi. Prin y gallai hi wneud cymaint heb help Leisa gyda'r gwaith tŷ. A dyma'r fusnes fach a ddechreuodd ar ôl symud i Frynaman yn tyfu'n gyflym. Er bod y gweithe'n ddigon slac, byddai wastod galw am wlanen a gwlân lle'r oedd gweithwyr â theuluoedd mawr. Roedd hi'n fwy na chlirio'i chostau, a gwell na hynny bu'n fodd i ddod â hi'n agos at ei chymdogion – fel Martha druan – a'i gwneud hi'n rhywun mwy yn eu golwg na dim ond gwraig Isaac, Gaffer y Melinau! A hyn oll heblaw'r pleser o ailafael yn y cysylltiad â'r ffatrïwyr o'i hen ardal. Gymaint yr edrychai ymlaen at y siwrne i Landeilo i'w cyfarfod nawr ac yn y man, a tharo bargen, heb sôn am gael hanes hwn a'r llall o'i hen gydnabod. Ac yfory nesaf câi fynd eto, a byddai wrth ei bodd!

Caeodd ei llyfr cownt a phwyso'n ôl yn ei chadair wrth y ford fach gron, yn eithaf bodlon arni ei hunan a'i byd. Yna drwy'r ffenest gwelodd gefn llydan Isaac, yntau wedi dod i bwyso'i ddwy benelin ar wal yr ardd, a chwmwl o fwg glas yn codi o'i bibell. Gwyddai fod y gwallt du oedd mor gyrliog o dan ymyl ei het yn ddigon tenau ar y corun, ond roedd ei gorff yn dal i fod heb owns o gnawd wast – yn gryf a chadarn. Yng ngolwg Marged roedd yn fwy golygus na'r un gŵr yn y rhes o dai'r Cwmni, na'r capel, yn wir yn ei byd bach hi i gyd! Gwenodd Marged am ben ei ffolineb, yn dal i feddwl fel merch ifanc o hyd! Ond oni bai fod Isaac mor olygus efallai y byddai hithau wedi bod yn fwy cecrus, neu wedi danto! Wel, ddantodd hi ddim; trwy drugaredd gwelodd yr ochr ddoniol i'w duedd i swagro, fel pe bai'n rhyw ŵr mawr, ac roedd wrth ei bodd yn ei brofocio, er nad byth o flaen y plant, a llai fyth yng ngŵydd pobl eraill. Roedd lle ganddo yntau i fod yn falch ohoni hithau, hyd yn oed os collodd ei chorff beth o'i siâp ac ystwythder. Nid pob menyw yn y rhes, na'r capel chwaith, a fedrai gadw cownt, nac ysgrifennu o gwbl, o ran hynny, serch bod y ganrif bellach yng nghanol yr wythdegau. Aeth draw at wal yr ardd a phwyso'i dwy benelin ochr yn ochr â rhai Isaac.

'Gwylad y cynabêns yn dechre dringo, wyt ti?' gofynnodd gan chwerthin pan ddangosodd ef ei syndod o'i chael hi yn ei ymyl.

'Ro'dd 'y meddwl i 'mhell,' atebodd.

'Ie, ie, pethe pwysig; fel gweitho mas yr ordors am yr wthnos nesa, i ennill yr elw mwya posib i'r Mishtir, a phriso dim faint fydd rhaid gwasgu ar dy gyd-weithwyr! Ond rho di dy sylw i fi am funed nawr, os gweli di'n dda. Rwy'n mo'yn iti addo'n ddiffael y doi di i gwrdd â'r trên chwech nos yfory, ti, ac Ifan falle. Bydd llwyth go swmpus gyda ni, fwy na thebyg.'

'Meddwl am fory own inne, fel ma'n dicwdd. Beth pe bawn i'n dod gyda ti fory, yn lle Leisa? Ma'n slac yn y gwaith, ac rwy wedi trefnu rhagbla'n, fel na fydd rhaid imi fod yco cyn ail-drannoeth.'

'Dyna'r fantais o fod yn gaffer, yntefe Isaac, gallu trefnu dy orie am dy fod yn llawes y Mishtir.'

'Gad dy gellwair, Marged! Rwyt tithe'n leico'n nêt ein bod ni'n rhywun erbyn hyn, ac yn gallu ffwrdo rhyw drêt bach i'n hune'n nawr ac eilwaith.'

'Trêt bach i ti, falle. Bydda i wrth 'y ngwaith fory, cofia.'

'Ac wrth dy fodd – yn hocan y pris â jacs y wlad! Ond ar ôl i ti orffen, beth am bryd bach o bys a ffagots, a cha'l golwg ar siop neu ddwy cyn dal y trên 'nôl? Fe elli drefnu i'th barseli ga'l eu hebrwng i'r trên, debyca i. Ma'n argoeli tywydd da fory, yr haul yn mynd lawr yn danbaid, a mwg yr hen waith yn codi i'r awyr fel saeth.'

'Wyt ti ddim yn arfer gwario sofren heb eisie, Isaac! Ai fy musnes bach i sydd i dalu am y pys a'r ffagots?' Gwthiodd ei phenelin i'w ystlys. Rhoddodd yntau ei law chwith dros ei llaw dde hi ar ben y wal.

'Fuo hi ddim erio'd cystal â hyn arnon ni o'r bla'n, Marged fach, gyda'r ddou blentyn ar eu haelwydydd eu hunain.'

A thri ym mynwent Soar yn ddigon tawel, meddyliodd Marged, ond yr hyn a ddywedodd oedd,

'Fel arfer pan awn gyda'n gilydd yn y trên, mynd i angladd rhyw berthynas fyddwn ni. Ie, gei di godi'r ticedi fory, a thalu am ein bwyd, gan dy fod ti'n ei gweld hi cystal arnon ni.'

Gwasgodd Isaac ei llaw fach dew. 'Ma' dy chwerthiniad yn gwmws fel o'dd e ar lanne'r Gwendraeth Fach yr holl flynyddoedd hynny 'nôl – heb newid dim.'

'Hei, gwell inni fynd i'r tŷ, neu bydd y cymdogion yn ffaelu â deall beth sy wedi dod droson ni, yn cownsela fan hyn wrth wal yr ardd, a ninne â'n haelwyd ein hunain.'

Gwyliodd ef hi'n troi am y tŷ, yn ysgafndroed o hyd er gwaethaf trymder cynyddol ei chorff. Aeth yntau draw i hysbysu Leisa am y newid trefniadau.

Gwawriodd bore trannoeth mor braf ag addewid awyr writgoch y noson cynt. Gwisgodd Isaac ei drowsus diwetydd, ac ar ôl brecwast weindiodd ei wats aur a'i bachu'n ofalus wrth y gadwyn ar draws ei wasgod *sealskin*. Siomwyd ef o weld Marged yn ei dillad marchnad arferol, sgert o wlanen streipiog dywyll a bodis ddu, ond ni ddywedodd ddim nes gweld y siôl fawr werdd yn cael ei thaflu dros ei gwar i guddio'r cwbl.

'Lle ma'r *bonnet and cape*?' holodd. 'Rwy i am wisgo fy het ore i fynd gyda'm gwasgod.'

Ateb Marged oedd gosod ei het fach wellt ddu ar fwy o oledd ar ei thalcen, gan fenthyg rhyw sioncrwydd i'r dillad trymaidd a thynnu sylw at ei llwyth o wallt, heb yr un blewyn gwyn ynddo, a gadwai dan reolaeth yn y rhwyd fach a grosiodd i'r pwrpas. Roedd prysurdeb y bore wedi codi gwrid i'w bochau a hwnnw'n tynnu sylw at ddisgleirdeb ei llygaid mawr duon.

'Ddim digon urddasol iti, e? Wrth fy ngwaith fydda i. Ma'r siôl 'ma'n gadel fy nwylo i'n rhydd i drafod parseli, ac yn cuddio'r pwrs ym mhoced fy ffedog. Ond rwy'n gwisgo dy frôtsh aur di arni, weli di?'

Gwenodd ef arni wrth iddi dynnu ei sylw at y brotshyn. Ond sylwodd hefyd sut roedd ei modrwy briodas wedi suddo o'r golwg bron yng nghnawd ei bys, a dyfalodd iddi fethu â chael cipar ei mam dros ei chymal, gan nad âi byth i farchnad na chapel heb honno. Ond roedd Marged yn llawn hwyl wrthi'n sicrhau fod yr aelwyd yn gryno cyn mynd i ddal y trên.

Aeth y siwrne i lawr Dyffryn Aman yn hwylus dros ben, yn wir yn llawn cleber a chwerthin wrth iddynt gyfarch cydnabod yn disgyn neu'n esgyn ar eu taith. Roedd Marged yn adnabod cymaint o'r teithwyr, a chyfarchiad serchus ganddi i bawb; a rhwng yr ysbeidiau o glebran clywai Isaac hi'n mwmian canu. Roedd ganddi'r ddawn i wneud yn fawr o bob munud.

Wedi newid trên ym Mhantyffynnon a hithau'n mwynhau edrych ar y dolydd gwyrddion ar lan yr afon, holodd Isaac a fyddai'n well ganddi fod wedi aros yn y wlad yn hytrach na mentro i'r gweithe.

'Na, gwella'n hunain wnaethon ni, yntefe, er gwaetha ambell gyfnod caled, a gorfod symud fel byddai un gwaith yn cau ac un arall yn agor. Bu'n bywyd yn llawnach, siŵr o fod – mwy o fynd, gwell bwyd, a gwell cyfleusterau i'r plant.'

Yna ymdawelodd, gan gofio i Isaac warafun cyfleusterau addysg i Ifan 'slawer dydd, er gwaethaf apêl y sgwlyn hwnnw a hithau ei hun.

'Ond rwy'n falch bod fy musnes bach i wedi dod â fi 'nôl i gysylltiad â'r hen fywyd nawr eto,' ychwanegodd â phendant-rwydd.

'Ond wyt ti ddim yn difaru mai fi y priodaist ac nid un o'th ffrindie o'r ffatri wlân?'

'Beth yw'r holl holi mawr 'ma heddi? Ches i mo'm ffordd gyda ti bob amser, naddo? Ond siawns mai fel'ny y byddai gydag un-rhyw ŵr – heb sôn am un dicon abal i ddeall y meistri a pheidio â chodi gwrychyn y gweithwyr, yn ormodol.'

Gan gydnabod na fedrai ddisgwyl mwy o gydsyniad na hyn, fe ganolbwyntiodd Isaac ar dynnu ar ei bibell weddill y daith.

Dringwyd y rhiw faith o stesion Llandeilo i'r farchnad yn un fintai o gyfeillion, gan sefyll nawr ac yn y man i dynnu anadl a chymryd sbel wrth gyfarch cydnabod o ardaloedd eraill. Wedi cyrraedd o'r diwedd aeth Marged at y gwlanenwyr tra crwydrodd Isaac y stondinau, mor hunanbwysig â phe bai ar lawr y felin yn y gwaith, gan dynnu ple â'r ffermwyr am eu cynnyrch a'u prisoedd, ond gan gadw llygad ar Marged a'i holl symudiadau. Disgynnai ei llygaid hithau arno yntau o dro i dro, gan nodi fel y safai allan ymhob tyrfa, gyda'i ysgwyddau sgwâr a llydan – mor wahanol i rai o'r ffermwyr gwargam a'r gwehyddion llwyd a llipa y deliai â hwy y bore hwn. Pan ddaeth ef i ddweud wrthi ei fod yn mynd am un tro o gwmpas y dre, siarsiodd ef yn ddigon siarp i fod yn ôl yn brydlon i fynd â hi i ginio. Ond wedi gorffen ei gwaith a threfnu i'w pharseli gael eu cludo i gwrdd â'r trên pedwar, eisteddodd Marged i lawr yn hamddenol ymhlith ei ffrindiau o bell ac agos nes i Isaac ddod i'w chyrchu am y ffagots a'r pys.

Roeddynt wedi gorffen eu bwyd cyn i Isaac ddechrau sôn am gael tynnu eu llun. Eglurodd iddo drefnu eisoes, tra oedd hi'n gorffen ei busnes, y byddent yn siop Williams, y ffotograffydd, gyferbyn â'r eglwys, erbyn dau o'r gloch. Gwylltiodd Marged o'i chof! Na, wnâi hi ddim shwd beth, a hithau yn ei dillad bob dydd!

'Awgrymais y *bonnet and cape* y bore 'ma, yndo fe?'

'O, ro'dd e yn dy feddwl di bryd hynny o'dd e?' Roedd ei gruddiau'n wenfflam, a'i dwy wefus yn dynn am y dannedd bach mân, gwyn y llwyddodd mor dda i'w cadw cyhyd.

'Naddo! Ar ôl cyrraedd, wrth gerdded o gwmpas, a gweld y gellir ca'l llun mawr wedi ei dwtsha lan mewn lliw, yn ogystal â'r cardie bach arferol.'

Aeth ymlaen yn bwyllog, gan roi ei law ar ei braich,

'Dere Marged, nid bob diwrnod marchnad y galla i ddod gyda ti, ac ma'r het fach 'na'n gweddu i ti'n well na'r un fonet; a gelli di dynnu dy siôl.'

'Na, na, rhaid cadw'r siôl; ma'r bodis yn rhy dynn i wneud hebddi.'

'Wel, dyna fe, 'sdim ots, dy wyneb sy'n bwysig. Meddylia mor falch bydd Leisa ac Ifan i ga'l ein llunie, un i Ifan ar y *bookcase*, ac un Leisa ar yr *harmonium*.'

Rhyw ffyslyd ynglŷn â'i bodis a'i siôl oedd Marged, er i Isaac ei sicrhau y byddai gwraig y ffotograffydd yn medru ei thacluso. Yn araf iawn yr aethant lan y stryd ac yn arafach fyth i fyny'r tri stepyn i'r siop. Ond ar ôl cyrraedd, symudodd pethau'n annisgwyl o gyflym. Profodd holl berfformans y ffotograffydd, yn tasgu i mewn a maes o'r lliain du a orchuddiai ei gamera, yn ormod i synnwyr digrifwch Marged, a'r anhawster yn y diwedd oedd i'w chadw'n llonydd yn ddigon hir heb iddi bwffian chwerthin. Ymhell cyn y diwedd roedd wedi hen anghofio'i hanfodlonrwydd. Ar y ffordd i'r trên adroddodd yr hanes wrth y ffrindiau a gyfarfyddwyd ar yr heol, ac yn y trên daeth pyliau o chwerthin drosti wrth feddwl am y jac-yn-y-bocs o dynnwr lluniau, a'i wraig urddasol, lonydd. Erbyn hynny roedd Isaac wedi cael cas ar yr holl fusnes ac yn yn poeni'n dawel fach beth fyddai'r adwaith pan gyrhaeddai'r llun yn y man. Byddai difaru yn sicr am na wisgwyd y flows sidan orau, beth bynnag am y *bonnet and cape*.

Cafwyd eto gymorth parod cyfeillion wrth newid trên, ac yn y stesion ar ben y daith yr oedd Ifan, a John, gŵr Leisa, yn eu cyfarfod i ysgwyddo baich y parseli. Wrth ddringo'r rhiw cydiodd Marged ym mraich Isaac, a chyn hir begiai arno i aros funud.

'Yr hen bys 'na sy wedi codi gwynt arna i, wel' di.'

Arweiniodd hi'n araf i bwyso ar gât Dafis yr Oel.

'Wyt ti'n mo'yn mynd mewn fan hyn, a cha'l dracht o ddŵr?'

'Na, na, mi ddo i gan bwyll. Bydd Leisa'n ein dishgwl. Gwell i ti, John, fynd mla'n â'r pac mawr, a dweud ein bod ar y ffordd. Aros di gyda ni, Ifan, i helpu dy dad â'r pecyn llai.'

'Be sy'n bod, Marged Morus?'

'Dyna sy'n dod o ormod o sbri.' Gwaeddai rhai o'r cyd-deithwyr yn ddifeddwl, tra closiai rhai o'r gwragedd ati i gynnig help a chydymdeimlad, ond gyrrai Isaac bawb i ffwrdd yn awdurdodol.

'Llonydd sydd eisie; bydd hi'n olreit nawr, ond dod gan bwyll.' Ysgydwodd ei ben a chwifio'i law mewn arwydd iddynt gadw draw a mynd ymlaen ar eu ffordd.

'Ma'r hen sgidie 'ma'n rhy dynn ar ôl trafaelu, gwela i,' meddai

Marged wrth ei mab, a oedd â'i law am ei chanol o dan y siôl fawr. O gam i gam, gan aros nawr ac eilwaith, gorffennwyd y daith hir a serth i Dai'r Cwmni. Yno, ar ben y rhes, yr oedd Mari yn ogystal â Leisa'n eu disgwyl, drws eu tŷ led y pen, a ford y gegin wedi ei gosod i'w croesawu. Ond i'r parlwr y mynnai Marged fynd, i eistedd yn ei chadair wrth y ford gron o flaen y ffenest. Yn araf a thawel tynnodd Leisa yr het fach sionc, yna'r hen siôl fawr. Tra oedd Ifan a Mari yn tynnu ei hesgidiau, sibrydodd Leisa wrth ei thad fod John eisoes wedi mynd i ymorol Doctor Tomos. Estynnodd Leisa golsyn coch o'r tân a'i roi mewn cwpaned o ddŵr oer. 'Mae'n dda i godi gwynt,' eglurodd wrth geisio rhoi llwyaid ohono rhwng gwefusau glas ei mam. Aeth Mari i'r drws, wedi clywed sŵn ceffyl yn agosáu, ond pan amneidiodd ar ei gŵr, rhuthrodd Isaac heibio iddynt i gwrdd â'r meddyg ar garreg y drws.

'Rwy wedi cael yr hanes gan y mab yng nghyfraith, Isaac Morus.'

Roedd tôn y meddyg yn reit siarp. 'Pam yn y byd y gadawsoch chi hi i fynd i'r hen farchnad 'na, ddyn, a minnau wedi'ch rhybuddio chi am gyflwr ei chalon?'

'Allwn i ddim ei rhwystro, a hithau'n dishgwl mla'n gymaint am fynd. Dyna pam es i gyda hi, Doctor, i ofalu amdani. Gwnewch beth ellwch chi, Doctor bach; mae'n haeddu'r gore.'

Pan aeth y doctor i mewn i'r parlwr agorodd Marged ei llygaid a gwenu arno.

'Wel, Marged Morus, wedi bod yn ei gorwneud hi eto tua'r hen farchnad 'na, rwy'n clywed,' meddai'n dawel. 'A finnau wedi egluro i chi nad croten ifanc y'ch chi rhagor.'

Gwenodd y llygaid duon arno o wyneb blinedig.

'Ro'dd yn werth y cwbwl, Doctor bach. Diwrnod i'w gofio am byth!' ac estynnodd am law Isaac.

Gwasgodd hi'n dynn am eiliad neu ddwy cyn iddo'i theimlo hi'n gollwng gafael.

STORÏAU 1920-1930

NEWID TRYSOR

Dod adref gyda'n gilydd o'r cwrdd oeddem ni, ryw dri mis wedi claddu 'Nhad – flynyddoedd lawer yn ôl erbyn hyn – pan ofynnodd Mam imi sbario cetyn bach iddi yn ystod yr wythnos, i'w helpu i drefnu pethau ar y llofft.

'Aiff dillad dy dad ar eu gwa'th, wel' di, os gadawn ni nhw.'

Y pnawn Mercher dilynol, es â Dilys at Mam yng nghyfraith cyn mynd draw at Mam. Pnawn digon oer o wanwyn cynnar ydoedd ond roedd ambell flodyn yn sirioli'r llwybr ger talcen y tŷ, yn atgof o lafur a diléit fy nhad. Roedd Mam eisoes yn dechrau colli ei chlyw, ac roeddwn i drwodd yn y pantri cyn iddi sylweddoli 'mod i wedi cyrraedd. Sylwais mor syber a chysurus oedd y gegin, y tân newydd ei lwytho â glo ffres, fflamau bach glas yn dechrau brigo drwyddo, a'r barrau wedi eu brwsio'n loywddu. Roedd padellaid o does wedi ei ddodi i godi ar y stand bres o flaen y ffwrn, ac ofnais fod hynny'n arwydd fod Mam am osgoi wynebu ar y gorchwyl penodedig. Ond fel petai'n darllen fy meddwl eglurodd, 'Eisie ca'l picen fach ffres iti fynd adre own i. Rwy'n eitha parod i fynd i'r llofft, pan wyt ti.'

Ni soniodd hi na mi yr un gair am 'Nhad wrth ddosbarthu'r dillad diwetydd a'r dillad isaf i'w rhannu rhwng fy mrodyr – roedd yr unig un ohonynt a'i ddilynodd i'r gwaith tun eisoes wedi cael ei ddillad gwaith. Wedyn estynnwyd y siwt orau a'i gôt fawr o'r cwpwrdd dan stâr y groglofft. Wrth eu brwsio, holais, 'Fe rowch chi'r rhain i Newyth Tomos? Iddo fe fydden nhw'n gweddu ore, ma'n debyg?'

'Dyna fydde ore,' cytunodd, 'ond alla i ddim heddi; ma'n rhy glou. A fydd dim mo'u heisie arno ynta cyn y gaea. Fe rown ni nhw i gadw am heddi yn yr hen goffor.'

Safai'r coffor mawr, ers cyn cof gen i, o flaen y ffenest yn yr ystafell fach ffrynt uwchben y pasej. Gwaith saer coed o ochr Llambed ydoedd, ac fel y clywais droeon, yn hwn y daeth Mamgu â'i dillad pan ddaeth hi gyntaf o'r wlad i'r gweithe.

'Mae yno gwilt neu ddou, ond bydd digon o le.'

Agorais y coffor mawr a chodi dau gwilt pert a'u hysgwyd; Roedd yn rhy llaith heddiw i'w taro ar y lein yn yr ardd i'w hawyru. Wrth blygu i ddwsto'r tu mewn sylwais fod yno focs pren ar lawr y coffor, yn ffitio i mewn i'r gwaelod yn dwt. Ni chofiwn imi ei weld erioed o'r blaen, a holais beth oedd yno, cyn imi ei symud.

'Pethe Maggie fach sy fan'na. Dy dad a'u dododd nhw yco pan own i yn y gwely ar d'enedigaeth di – a Maggie fach yn ei bedd ers llai na blwyddyn ... Füws e'n dyner iawn wrtho' i, a finne'n ei cha'l hi'n anodd i ymysgwyd i'ch magu chi i gyd – ar ôl ei cholli. "Cewch chi eu hôl nhw mas eto, ar ôl i chi gryfhau," mynte fe. Ond wnes i ddim; dim ond dod lan fan hyn idd'u trafod nhw weithe, ar y dechre ... A galles i ddim rhoi ei phethe bach hi i chi'r plant er'ill i 'ware â nhw – er mor brin o'dd 'ych tegane.'

Clywswn ganwaith y stori drist am farw'r ferch fach gyntaf o'r frech goch yn bedair oed, ond ni sylweddolais o'r blaen ddyfned oedd hiraeth fy mam am yr un a gollwyd wrth iddi fagu llond tŷ o blant eraill, cryf ac iach. Ond wrth gwrs roeddwn i'n fam fy hunan yn awr, a dyma fi'n cael fy wynebu'n annisgwyl â'r creiriau hyn. Ond nid oeddwn i gael gweld cynnwys y blwch pren eto, chwaith. Cymerodd Mam y dwster o'm llaw a dwstio'r blwch yn ofalus gan ei ddal yn ei breichiau wrth i mi roi papur glân ar waelod y coffor. Yna gosododd y bocs yn ôl, heb ei agor, a'r ddau gwilt ar ei ben. Estynnais innau iddi ddillad 'Nhad, bellach yn eu plyg, ac wedi eu gosod rhwng papur sidan. Gwasgarodd beli camffor i bob cwr o'r coffor ac fe'i caeodd yn dynn, gan droi'r allwedd yn y clo.

Wyddwn i ddim sut i dorri ar y distawrwydd wrth inni orffen ein gwaith, ond gwyddai Mam.

'Gwell inni daro llygad ar y to's 'na nawr, yntefe?' meddai'n ddidaro.

O dan y lliain gwyn a'r patrwm o ddail iorwg mân, roedd y toes wedi codi i ymylon y badell, ac yn barod i'w roi yn y tuniau. Gwyliais hi'n torri darn o'r gweddill, gweithio talp o lard trwyddo, taenu cyrens a phil-lemwn ar hyd-ddo, ei dylino drachefn a'i dorri'n bicau crwn i'w gosod ar lawr y ffwrn. Gwelais fod y cyfle hwn i ddilyn yr hyn fu'n drefn wythnosol, yn gysur iddi. Clywswn hi'n dweud droeon, 'Rhaid gwneud ein gore i gario mla'n'. Ni ddywedodd hi hynny heddiw, ond dyna a wnâi, a bellach gwyddwn innau ba bryd dysgodd y wers, ac mor anodd y bu.

Nos Sadwrn, pan alwasom nesaf gyda Mam, dywedodd wrthym am adael Dilys gyda hi nos Sul, i Wil a fi gael mynd i'r oedfa gyda'n gilydd. Byddai cystal ganddi hi aros gartref, nawr ei bod hi'n methu craffu ar bob gair, ac fe fyddai Dilys siŵr o fynd yn anhywaith cyn y diwedd, ped aem â hi gyda ni. Ac felly y bu.

Wrth nesu at y tŷ wedi'r oedfa, dechreuais ddyfalu sut y bihafiodd fy merch fach gyda'i mam-gu. Fe'i caem hi'n cysgu ar y soffa, beth tebycaf, yr hen siôl *paisley* drosti, a dim ond tician cyson y cloc yn torri ar ddistawrwydd y gegin. Byddai Mam yn ei chadair wrth y bwrdd a'r Beibl yn agored o'i blaen. Ond wrth ddod heibio'r talcen, clywem lais Dilys yn uchel a chlir:

'Dishgwlwch, Mam-gu! Telyn fach! Ac ma' hi'n canu!'

Pan glywodd hi sŵn fy nhroed ar garreg y drws gwaeddodd,

'Mami, ma' Mam-gu wedi rhoi lot o bethe i Dilys!'

Daeth fy merch i'm cyfarfod yn gwisgo bonet sidan werdd, o ffasiwn rhyw oes o'r blaen, a'i rhosynnau pinc bellach bron yn wyn. Ar y ford roedd y bocs pren a welais y dydd Mercher cynt ar waelod y coffor. Roedd ar agor nawr, a'i drysorau wedi eu taenu ar hyd y bwrdd – breichled arian, doli glwt, jwg fach binc a 'A Present From Llanstephan' mewn llythrennau aur arni.

Oedd, roedd y Beibl ar y ford, ac ar agor, ond roedd sbectol Mam yn gorwedd arno yn eu plyg, a Mam ei hunan ar ei thraed, yn gwylio Dilys wrthi'n prysur lenwi bocs bach glas â chregyn mân a gymerwyd o'r môr dros ddeng mlynedd ar hugain ynghynt. Wyddwn i ddim beth i'w ddweud!

'Gad iddi,' meddai Mam, fel pe bawn i wedi gwrthwynebu. 'Ma' hi'n debyg iawn i Maggie fach, wel' di, yn enwedig yn y foned 'na.'

Os byth bu i Mam ddifaru, ni ddangosodd hi ddim.

'Ma'n nhw'n gweud fod amser yn gwella'r clwyfe dyfna,' mynte Wil y noson honno, ar ôl i ni lwyddo i setlo Dilys i lawr am y nos.

Na, trysor newydd sy gan Mam yn yr hen goffor nawr, gwlei, a hwnnw'n profi'n fwy na digon iddi.

DDIM YN PERTHYN (1926)

Dihunodd Dilys i weld yr haul yn llunio sgwaryn gwyn ar y papur wal wrth ochr ei gwely, a thrwy'r ffenest gwelai'r awyr yn las, las, heb yr un cwmwl yn y golwg yn unman. Cododd a thaclu'n glou gan deimlo'n ysgafn a llon yn yr heulwen. Yn y gegin roedd Neli'n gorffen glanhau'r aelwyd. Llosgai'r tân yn lân a ffres; wedi'r rheso a chodi'r lludw o dan y grât dawnsiai fflamau bychain glas drwy'r cnapiau glo a osodwyd mor ofalus, i gyd â'u pigau'n pwyntio tua'r lan. Hwyliodd ei mam frecwast iddi, ac roedd hi bron wedi ei orffen cyn iddi gofio nad dydd Sadwrn mohoni ac mai mynd i'r ysgol fyddai'n rhaid. Gwaeth fyth, cofiodd fod Beti ei ffrind yn y dwymyn doben ac na fyddai neb yn galw amdani i gydgerddded tua'r ysgol.

'Rwy'n moy'n iti gadw hwn yn lân ac yn gyfan,' meddai ei mam wrth rwymo'i rhuban gwallt sidan glas yn glwm-dolen mawreddog. 'Dyna ti, cer yn dy fla'n heb loetran, a bydd digon o amser gen ti.' Wrth ffarwelio â hi ar ben drws diolchai ei mam yn ddistaw bach na fu rhaid ymdrechu'r bore hwn yn erbyn y begian arferol am gael aros gartref.

Wrth rowndio'r talcen llusgai Dilys ei llaw ar hyd wal y tŷ i chwilio am gysur y cynhesrwydd y tu ôl i le tân y gegin, ac yna tynnwyd ei sylw yn ôl at hyfrydwch y dydd gan chwa o berarogl ar awel y bore. Croesodd y llwybr, ac ar flaenau'i thraed edrychodd dros wal yr ardd. O'r cylch bach o flodau gwynion y deuai'r arogl. 'Pincs' y galwai Neli hwy, ond gwyn oeddynt bob un, gwynnach o lawer na'r eira a orchuddiodd yr ardd yn ystod gwyliau'r Nadolig. Tu mewn i'r cylch gwyn roedd pansis glas wedi agor, pob un â llygad euraid ac yn edrych ar Dilys fel merched bach cyfeillgar yn wincio arni. Cofiodd am y pin-bach pres a gadwai yn ei phoced 'rhag ofn', a gwelodd bwrpas arall iddo'r funud honno. Gosododd y *copybook* coch â'i gwaith cartref (*Six sentences on 'The Wild Rose'*, a thair sym) yn ofalus ar ben y wal ac agorodd gât yr ardd. Ar ôl sefyll eiliad i synhwyro holl arogleuon y bore – y pridd, y gwlith, a'r blodau – torrodd ychydig o'r glas a'r gwyn. Roedd ymyl y petalau gwyn yn debyg i'r brodwaith ar ymyl ei phais orau, a'r glas fel melfed ei ffrog aeaf. Plethodd laswelltyn hir am eu coesau a rhoddodd y clwm blodau ar fynwes ei blows *tussore* â'r pin. Trueni bod rhaid mynd i'r hen ysgol dywyll yna, gyda'i harogleuon cryf, diflas ar fore mor ffein â hwn. Ochneidiodd wrth gau gât yr ardd, cydio yn ei llyfr coch a mynd at gât yr heol. Safodd yno a'i chefn at y tŷ cerrig cadarn gyda'r lawnt o'i flaen, y llwybr llydan wrth ei ochr a'r ardd hir ar y chwith, a'r cwbl wedi eu hamgylchynu â wal uchel o frics coch. Rhaid iddi nawr geisio wynebu ar y byd a'i ansicrwydd.

Edrychodd i weld a oedd sôn am rywun arall yn gwneud ei ffordd tua'r ysgol. Yn y pellter gwelai dair o ferched mawr Standard Seven yn dod yn hyfol, gan daflu pêl rhyngddynt a'i gilydd, a chwerthin ar dop eu lleisiau. Roedd Dilys yn eu hadnabod, yn wir roedd tipyn o'u hofn nhw arni hi, ond heddiw ymddangosent yn ddigon llawen. Efallai y byddent yn fodlon iddi gydgerdded â nhw y bore braf hwn. Byddai'n dda ganddi eu cwmni wrth fynd heibio'r tai bach gwynion, yn enwedig os oedd y ci melyn yno, yn aros ei gyfle i redeg ar ôl plant, a neidio lan atynt. Penderfynodd aros amdanynt.

'Hylô, Miss Dainty!' gwaeddodd yr hynaf ohonynt wrth nesáu. 'Pam 'se ti'n gofyn i dy fam am sgidie hoelon a sane rib?'

Nid atebodd Dilys, ond dechreuodd gydgerdded â hwy. Rhoddodd y lleiaf o'r tair, croten denau dywyll, blwc siarp i ruban gwallt Dilys nes datod hanner cwlwm ei mam. Ond y drydedd, merch fawr dew a'i gwallt coch yn sgilpiau anniben ar ei hysgwyddau, a darodd yr ergyd waethaf.

'Ble ti'n meddwl ti'n mynd, â'r blote 'na yn dy frest? I briotas?'

Chwarddodd y tair yn aflywodraethus am ben jôc mor dda – neu am ben Dilys! Syrthiodd hithau gam neu ddau yn ôl. Taflai'r lleill y bêl o'r naill i'r llall, gan esgus weithiau ei hanelu ati hithau, ond pan estynnai hi ei breichiau i'w derbyn, chwarddent am ei phen a'i throi'n ôl at un o'r ffrindiau. Arafodd Dilys ei cham a phlygu ei phen dros ei blodau. Sugnodd gysur o fireinder eu harogl ac enillodd yn ôl beth hunanhyder. Gadawai hi iddyn nhw fynd ymlaen damaid bach – gallai'n hawdd ailymuno â nhw pe deuai'r ci melyn i'r golwg. Cyn iddynt gyrraedd y tai bach gwynion galwodd yr hynaf arni:

'Dere mla'n, ti, os nad wyt ti eisie'r gansen! Ni'n hwyr!'

'Nag y'n ni ddim yn hwyr,' atebodd Dilys. ''Sdim o'r trên wedi mynd lan 'to!'

Safodd y gochen yn stond, yna daeth yn ôl at Dilys a bygythiad digamsyniol yn ei hosgo.

'Glywsoch chi 'na?' holodd i'w ffrindiau. 'Pa drên? Falle nag yw *my lady* wedi cl'wed am y streic?'

'O do, fe gl'wes i fod y coliers ar stop 'to.' Synnodd Dilys at y nodyn bach herfeiddiol yn ei llais.

'Diar mi, 'na glefer y'n ni, yntefe? Wel, ga'd i fi weud wrthot ti nawr, nage dim ond y coliers sy ar stop nawr, ond Pawb a Phopeth, y gweithe tun, gwaith dy dad, y relwê – dim trên i unman o gwbwl! Aiff PAWB yn glawd nawr, nage dim ond y coliers! Dim rhagor o rubane i tithe wetyn!' A rhoddodd blwc arall i ryddhau gweddill y clwm-dolen. Crynai Dilys mewn ofn, a dwrn y ferch fawr mor agos at ei thrwyn. Safodd yn llonydd ar ganol y ffordd nes i'r gochen, wedi iddi ysgyrnygu arni am eiliad neu ddwy, benderfynu gwrando ar ei chyfeillion yn ei galw i fwstro rhag cael y gansen. Dilynodd Dilys o hirbell, gan arswydo wrth feddwl am y tlodi a'u harhosai. Fe'i gwelai ei hun yn gwerthu matsys ar strydoedd Abertawe, mewn dillad rhacs efallai, fel y ferch fach honno yn ei llyfr Hans Andersen. Pasiodd y tai bach gwynion heb sylwi a oedd y ci melyn yno ai peidio. Ond wrth groesi pont y lein gwelodd yr eithin ar y banc gyferbyn yn aur i gyd, ac wrth ddisgyn i'r llwybr oddi tano synhwyrai arogl ei flodau, yn gymwys fel teisennau bach coconyt Neli. O pam na fedrai popeth fod yn neis ar ddiwrnod mor ffein?

Ni thorrodd air pellach â'r merched, er i'r lleiaf droi'n ôl nawr ac yn y man i wneud *jibs* arni. Cyrhaeddwyd yr ysgol jyst mewn pryd i osgoi'r gansen; roedd y plant yn dal yn eu rhesi yn barod i fartsio i mewn i'r ysgol. Aeth Dilys i'w lle yn eu plith a martsiodd pawb i'r neuadd – pawb, hynny yw, ond Leah Black. Arhosodd hi, yn ôl ei harfer, yn y cyntedd, am nad oedd arni eisiau clywed am Iesu Grist. O leiaf, meddyliodd Dilys, ni fyddai'n rhaid iddi fod ynghanol cotiau gwlyb heddiw.

Darllenodd y Mishtir o'r Beibl yn Gymraeg ac yn Saesneg, cyd-adroddwyd Gweddi'r Arglwydd yn Saesneg, a chanwyd 'Pwyso ar Ei Fraich'. Ni soniwyd gair am y streic, ac anghofiodd Dilys amdano hefyd.

Diamynedd iawn oedd athrawes Standard Three y bore hwnnw wrth fynd dros y gwaith cartref – nid bod hynny'n ddim byd newydd. Nid oedd Dilys yn ei hoffi o gwbl. Hyd yn oed pan wenai, nid oedd dim caredigrwydd na llawenydd yn ei gwên. Yng ngolwg Dilys roedd hi'n hyll, yn rhy dew, a'i chroen yn dywyll a di-liw, mor wahanol i athrawes y llynedd, gyda'i gwallt melyn a llygaid glas a dillad pert, heb sôn am yr hwyl a gaent wrth wrando arni'n darllen 'Hiawatha' a 'Lord Ullin's Daughter'. Roedd llygaid mawr brown gan hon, ond dim ond beiau a welai drwyddynt. Heddiw nid oedd brawddegau neb ar y rhosyn gwyllt yn ei phlesio, a phan ddaeth at waith Dilys amheuai'n fawr ai ei gwaith ei hun ydoedd. Onid oedd ei mam wedi ei helpu? Sicrhaodd Dilys hi nad oedd ei mam yn y tŷ neithiwr. Ei thad, ynte? Na, roedd y ddau yn y cwrdd gweddi, eglurodd Dilys, a synnodd i glywed yr athrawes yn awgrymu ei bod braidd yn rhy hwyr i weddïo bellach. Nid oedd wedi meddwl y gallai fyth fod yn rhy hwyr i hynny. Roedd ei mam yn eitha reit yn dweud fod ganddi lot i'w ddysgu.

'You don't expect me to believe you were left in that big house on your own?'

'No, Miss, I had Neli.'

'Perhaps she helped you?'

'No, Miss, Neli hasn't got much English. She comes from the country'.

'Neli is the maid, I presume?'

Crychodd Dilys ei haeliau a meddwl. Neli oedd ei ffrind gorau, wastod yn hapus, yn canu iddi i'w helpu i gysgu. Nid oedd yn gwisgo cap a ffedog fel morwyn mewn llyfr. Pam oedd *Teacher* mor gas, a hithau wedi dweud y gwir?

Trodd yr athrawes at y dosbarth yn gyffredinol a gorchymyn:

'Hands up anyone else here with a maid at home.'

Teimlai Dilys, fel ar yr heol, yn unig ac ofnus, heb wybod pam. Clywodd sŵn y plant yn sisial ac yn troi rownd yn eu desgiau. Trodd hithau mewn pryd i weld un llaw yn codi'n araf ac ansicr, llaw Leah Black.

'That's enough,' meddai'r athrawes wrth y plant swnllyd.

'Put your hand down, Leah. Get out your sum books, all of you!'

Ac felly, rywsut, wrth wneud symiau, cyrhaeddwyd amser chwarae.

Er mor gynnes yr haul, nid oedd Dilys yn awyddus i wynebu'r iard chwarae lychlyd, gyda'i gylchoedd o blant yn prysur ddewis pwy gâi chwarae gyda nhw. Ar ôl sefyllian ychydig ger y drws llithrodd yn ôl drwyddo i ymguddio yn y cyntedd. Wrth i'w llygaid gynefino â'r tywyllwch, sylweddolodd fod rhywun arall yno. Fflachiai clustdlysau aur bychain Leah Black drwy'r mwll. Roedd fel gweld seren neu ddwy yn sydyn ar noson dywyll ddi-leuad.

'I have an apple. Would you like a bite?' cynigiodd yr Iddewes fach, gan nesu ati. Ysgydwodd Dilys ei phen. Ofnai'r dieithr.

'Let me tie up your ribbon then! It's all undone.'

'One of the big girls did it. They don't like my clothes.'

'They pull my earrings sometimes too, but my mother won't take them out. She says it isn't really the earrings. They will always find something else.'

Tynnodd sŵn ei siarad yr athrawes ar eu traws. Gyrrodd hwy allan i chwarae yn yr haul, gan fwmian o dan ei hanadl rywbeth am *pillars of capitalism*. Cofiodd Dilys mai tad Leah oedd biau'r Capitol, y sinema yn y pentref cyfagos. Ni chredai fod iddo bileri, ond efallai bod rhai y tu mewn. Efallai y câi fynd yno ryw ddydd gyda Neli, ar ôl iddi dyfu tipyn bach.

Hongian o gwmpas y drws a wnaeth y ddwy, heb adael ei gilydd am neb arall, a derbyniodd Dilys yn ddiolchgar yr ail gynnig i gael siâr o'r afal. Holodd hi Leah beth oedd enw ei morwyn.

'Fanny, but a maid she is perhaps not, exactly. She helps my mother, but uniform she does not wear, and she sleeps with me. She does not speak English either, so I put up my hand too.'

Ond nid wedi dod o'r wlad ac yn siarad Cymraeg oedd Fanny.

'She comes from the Old Country, that's what my grandmother calls it, but really it's a new country, Poland. I don't understand it all properly.'

Cytunodd Dilys fod ganddynt lawer i'w ddysgu, ac yn ôl ei mam dyna pam roedd yn bwysig iddi beidio â cholli'r ysgol. Holodd a oedd Leah yn hoffi'r ysgol.

'If I like it or not is not important; always I can learn something. That is what my parents tell me.'

Pan aeth y gloch i derfynu amser chwarae, aeth y ddwy bartneres law yn llaw i'r rhesi. Ond yn ôl yn y dosbarth rhannodd yr athrawes y plant yn ôl iaith, gan roi allan gopïau o *The Coral Island (Abridged)* i'r Saeson i'w ddarllen yn ddistaw. Bu'r Cymry ers wythnos yn dysgu'r darn

Mewn bwthyn diaddurn yn ymyl y nant
Eisteddai gwraig weddw ynghanol ei phlant,

a heddiw roeddynt i'w ganu ar ddull canu penillion, i'r alaw 'Morfa Rhuddlan'. Gresynai Dilys fod rhaid canu geiriau mor drist ar fore mor braf. Gwrandawodd ar yr athrawes yn chwarae'r dôn ar y piano. Roedd yn dôn drist hefyd, er efallai y byddai'n swnio'n hyfryd o'i gwrando fin nos a meddwl am hen gestyll.

Daeth ei synfyfyrio i ben yn sydyn pan drodd yr athrawes rownd ar ei stôl a dweud â sioncrwydd ffals,

'Pwy gawn ni i ganu gynta? Mi wn i.'

A gwên faleisus ar ei hwyneb trwm, pwyntiodd fys tew i gyfeiriad Dilys.

'Dewch mas o flaen y *class*; cewch chi roi tro arni gynta.'

'Alla i ddim, Miss,' ebe Dilys, gan anghofio am y funud rhwng syndod a braw, mai pechod anfaddeuol oedd ateb *Teacher* yn ôl. 'Mae'n rhy drist, Miss,' prysurodd i egluro.

'Dewch mas fan hyn, y plentyn slei.'

Ufuddhaodd Dilys i'r gorchymyn a sefyll a'i chefn at y bwrdd du. Chwaraeodd yr athrawes y dôn eto ar y piano, gan aros lle dylai Dilys ymuno. Ond aros yn fud a wnaeth hi. Nid oedd y dagrau ymhell nawr, ac roedd hynny o lais a feddai wedi llwyr ddiflannu.

'Wel am blentyn penstiff!' Collodd yr athrawes bob rheolaeth ar ei thymer. 'Rhy drist yn wir! Pallu canu ry'ch chi am nad oes gennych ddim gwerth o lais! Dyna un peth na fedr arian ddim mo'i brynu, yntefe?'

Wedi drysu ym mwrlwm geiriau'r athrawes ni cheisiodd Dilys ddeall eu hystyr. Roedd ar goll yn llwyr mewn niwl o anobaith. Sylwodd fod y rhan fwyaf o'r plant wrth eu bodd â sefyllfa mor ddifyrrus. O na fyddai Beti yn yr ysgol fel bod un ffrind o'i thu! Edrychodd i gyfeiriad Leah ond dim ond rhaniad gwyn yn y gwallt du a welai. Rhaid fod y *Coral Island* 'na'n stori dda! Dim ond ambell un o'r Saeson a gymerai unrhyw sylw o'r hyn a âi ymlaen wrth y bwrdd du, a'r rheini'n rhy anneallus i werthfawrogi fawr ddim yn y naill iaith na'r llall.

'Dechreuaf unwaith eto,' meddai'r athrawes yn fygythiol o'i gorsedd wrth y piano. Ond dal i edrych yn syth o'i blaen a wnâi Dilys heb deimlo dim ond penysgafnder, nes gwelodd ben cyrliog Mishtir yn edrych i mewn drwy'r ffenest yn y pared. Gwnaeth hynny iddi sylweddoli'r picil yr oedd ynddo, gan y deuai yntau yn awr i wybod am ei hanufudd-dod. Gwyddai fod rhai rhieni'n difrïo Mishtir am wastraffu amser eu plant â gormod o Gymraeg, ond nid oedd ei thad hi yn un ohonynt. Oni siarsiodd hi i wneud ei gorau yn y gwersi Cymraeg? A dyma hi wedi anufuddhau iddo yntau hefyd!

Y funud nesaf agorodd Mishtir y drws. Edrychodd ar yr athrawes wrth y piano, ac ar Dilys a'i hwyneb coch wrth y bwrdd du.

'Wel, sut ma'r gân newydd yn dod ymlaen? A gawn ni ei thrio gyda'n gilydd?'

Gwahoddodd y Saeson i wrando ar eu cyd-ddisgyblion yn canu penillion i hen alaw Gymraeg.

'Ewch chithau i'ch lle, 'merch i,' meddai wrth Dilys yn reit ddidaro, ond teimlodd hi ei law yn cyffwrdd â'i hysgwydd yn gyfeillgar. Wrth gerdded yn ôl i'w sedd sylwodd Dilys fod Leah yn edrych arni'n ofidus, yn amlwg yn methu â deall beth oedd yn bod.

Wrth iddi symud daeth chwa o berarogl y blodau yn ei mynwes gynhyrfus ag eglurhad i Dilys am holl annedwyddwch y bore. Yr hen flodau yna! Dyna a wnaeth *Teacher* mor gas, yr un peth â'r hen ferched 'na! Ni wisgai hi byth flodau yn ei ffrog i'r ysgol eto! Doedden nhw ddim yn lwcus!

Eisteddodd yn ei desg a chuddio'r blodau â'i llaw chwith nes iddi gael amser i ddatod y pin. Ac eto, beth am y clychau aur yng nghlustiau Leah? Doedd ei mam hi ddim yn credu mai dyna pam nad oedd y plant yn hoff ohoni. Beth allai fod o'i le ar y ddwy ohonyn nhw?

Fe ofynnai hi i Mam a gâi Leah ddod i de, ac yna fe gaen nhw amser i siarad heb i neb dorri ar eu traws, na bod yn gas i'r un ohonynt, ac fe fydden nhw'n ffrindiau am byth. Ac efallai y deuai Neli a Fanny'n ffrindiau hefyd – a bydden nhw i gyd yn mynd i'r pictiwrs gyda'i gilydd. Ac ar ôl iddi wella fe ddeuai Beti i de hefyd, ac fe aen nhw â Leah lan i'r ffynnon, i ddangos ble y byddai Beti a hi'n mynd am dro wedi'r Ysgol Sul, nawr bod y practis ar gyfer Pasiant y Pasg drosodd.

'YMAITH AG EF, CROESHOELIER EF!' dyna fyddai hi a Beti a'r plant eraill yn cael hwyl wrth ei weiddi yn y pasiant, gan esgus bod yn rhan o'r dorf o Iddewon ar y Groglith!

Cydiodd rhyw oerfel rhyfedd yn Dilys. Yr Iddewon! Dyna pam na ddeuai Leah Black i'r neuadd yn y bore i glywed am Iesu Grist.

Er bod y dosbarth yn canu â hwyl, a'r athrawes, hyd yn oed, yn edrych wrth ei bodd, dododd Dilys ei phen ar ei desg a beichio wylo.

GŴYL ANNISGWYL

Pan ddywedodd Mam wrthyf amser brecwast y byddai'n mynd gyda'r trên deg i weld Mam-gu, ac na fyddai'n ôl cyn trên saith, es i'n oer i gyd. Newydd ei chladdu oedd mam-gu fy ffrind Beti.

Nid yn aml roedd fy mam-gu i'n dost, a phan gâi hi ddosad o annwyd trymach nag arfer roedd ganddi ferched eraill yn byw gerllaw i ofalu amdani. Rhaid ei bod yn wael iawn os oedd eisiau Mam yno hefyd! Ond ni ddywedais ddim o'r hyn a oedd ar fy meddwl wrth Mam rhag ofn clywed y gwaethaf, dim ond derbyn o'i llaw y pecyn bwyd a estynnodd i mi i'w fwyta yn yr ysgol yn lle dod adref i ginio fel arfer hanner dydd. Roedd hynny ynddo'i hunan yn siom, ond ni ddangosais hynny chwaith, dim ond addo bod yn ferch dda i 'Nhad amser te, a hyd y deuai hithau adref. Arhosodd yr ofn, serch hynny, fel plwm yn f'ystumog yr holl ffordd i'r ysgol.

Roedd gen i olwg i r'feddu ar Mam-gu. Fyddai hi byth yn codi ei llais ataf, byth yn galw arnaf i glirio'r ford a minnau ar hanner rhyw waith. I'm meddwl i nid oedd neb yn fwy golygus na hi chwaith, gyda'i gwallt arian yn syrthio'n donnau dwfn bob ochr i'r talcen llydan a'r ddwy lygad fawr frown. Pan wisgai ar y Sul yn ei blows sidan ddu a'r botymau jet, a'r brôtsh cwlwm aur yn cau'r gwddf, gwelwn hi'n dlysach o lawer na'r Frenhines Mary, serch holl gyrliau mân honno, a'i thorch o berlau.

Roedd bedd mam-gu Beti yn dwmpath garw wrth wal y fynwent, nawr bod blodau'r angladd wedi crino ac wedi cael eu clirio i ffwrdd. Ond hen wraig fach gam fu honno, yn wastad a siôl fach ar ei gwar, ac yn achwyn ei bod hi'n oer, tra oedd Mam-gu yn dal ac yn syth fel saeth … Ac eto roedd yn anodd bod yn siŵr gyda hen bobl.

Dal i fecso oeddwn i wedi cyrraedd yr ysgol a mynd i'r neuadd, ac ni sylwais fod y Mishtir wedi cyhoeddi *Attendance Holiday* am y prynhawn hwnnw, ddim nes imi glywed y plant yn curo dwylo, ac i Nansi, y ferch a safai nesaf ataf yn y rhes, wthio'i phenelin i'm hystlys a dweud o dan ei hanadl,

'Grêt! Dim eisie dod 'nôl ar ôl cin'o! Clapa, ferch!'

Llwyddais i ddweud wrthi cyn i lygad Mishtir ddisgyn arnom a'n distewi, na fyddai neb gartref gen i, a minnau wedi dod â thoc gyda fi, heddiw o bob diwrnod, am fod Mam-gu yn dost.

Yn y dosbarth, prin y canolbwyntiais fy sylw ar y wers. Dryswyd patrwm fy nydd yn llwyr. Ymhle cawn i fwyta fy nhamaid nawr? A sut y gallwn i lenwi'r oriau hir nes deuai fy nhad i'r tŷ i'm derbyn am bedwar o'r gloch? Fe fyddai yntau wedi mynd â phecyn i'w fwyta yn ei swyddfa, mae'n siŵr, ac fe wnâi rhywun gwpaned o de iddo yn *messroom* y gwaith, fwy na thebyg.

Teimlwn fod Nansi'n trio dal fy sylw ond roeddwn i'n rhy boenus fy meddwl i fentro tynnu'r athrawes am fy mhen am siarad yn y dosbarth. Ond amser chwarae cefais wybod fod gan Nansi gynllun i'm helpu. Cawn fynd adref gyda hi a bwyta fy nhoc yno. Wedyn gallem chwarae gyda'n gilydd drwy'r prynhawn nes amser arferol cau'r ysgol, pan awn innau adref fel arfer.

Nid oedd Nansi'n un o'm ffrindiau agosaf. Am ein bod o'r un taldra y'n rhoddwyd gyda'n gilydd i fartsio i mewn ac allan o'r ysgol. Nid oeddem yn byw ar bwys ein gilydd ac nid aem i'r un capel ar y Sul chwaith. Dim ond yn yr ysgol y gwelwn hi, ond edmygwn hi'n fawr am ei bod bob amser yn llawn hwyl a sbri, ac yn ofni neb. Fe gafodd ddod i'm parti pen blwydd unwaith, ond barn Mam amdani oedd ei bod 'braidd yn eger'. Ond y diwrnod hwn roeddwn yn falch o'i phendantrwydd ac yn barod i'w dilyn i rywle. Onid oedd paratoadau manwl fy mam yn gwbl ddi-fudd bellach?

Roedd cartref Nansi ynghanol rhes o dai ar dir uchel uwchben y pentref a'i weithfeydd, tra oedd ein tŷ ni ar lawr y cwm. Dilynais hi ar hyd llwybrau cwbl anghyfarwydd i mi, gan adael y ffordd fawr a mynd trwy lwyn o goed ac ar draws cae. Wedi cyrraedd drws cefn ei thŷ gwelwn ei mam yn ffrio pysgod ar danllwyth o dân glo-carreg. Roedd golwg siriol arni, ac ar ôl i Nansi egluro pam roeddwn i yno cefais groeso gwresog, a'm cymell i eistedd yn y gadair siglo nes bod bwyd yn barod. A phan eglurais fod tocyn gen i i'w fwyta, dywedodd na chawn fwyta tocyn sych a hwythau â digon o ginio dwym i'w siario. Câi'r ffowls fy nhocyn, âi e ddim yn wast!

Roedd y gegin yn nhŷ Nansi'n debycach i un Mam-gu na'n un ni gartref. Roedd yno seld yn llawn o lestri glas, a sgiw, ac uwchben-tân roedd rhes o ganwyllarnau pres wedi eu trefnu yn ôl eu maint, bob ochr i gloc â tho pigfain, ac ar bob pen cadwai gi tseina drefn ar y cwbl. Ond doedd 'na ddim ffendar o flaen y tân, ac o'r gadair siglo gwyliais y cols coch yn disgyn nawr ac yn y man drwy'r grât i ddiffodd a throi'n llwyd ymhlith y lludw oedd eisoes o dan y tân mawr. Codai Mrs Hopkins y pysgod fel y deuent yn barod i ddysgl ar stand bres ar ochr dde'r lle tân, a sylwais fod ar yr ochr chwith, o dan y pentan, lle cadwai'r platiau'n gynnes, dap pres gloyw, yn dangos fod yno ffownten o ddŵr yn cadw'i ferw. Roeddwn wedi holi Mam rywdro pam nad oedd gennym ni ffownten, fel yn y rhan fwyaf o dai yr ardal, a chefais wybod fod dim o'i angen, gan fod gennym ni ddŵr twym yn dod o'r tap bob amser, yn y bath-rwm yn ogystal ag yn y gegin fach.

Pan oedd y cinio ar y ford daeth Katie, chwaer fawr Nansi, i lawr o'r llofft lle bu hi'n glanhau. Roedd hi'n ferch fochgoch, serchus fel ei mam. Gwenai arnaf yn garedig a'm cymell i beidio â bod ar ôl yn fy helpu fy hunan i'r tatws newydd, a rhoddodd dwlpyn mawr o fenyn ar gornel fy mhlât. Teimlwn fod Nansi'n lwcus iawn i gael chwaer fawr, a brawd bach yn dechrau cerdded, ond a oedd ynghlwm ar hyn o bryd yn ei gadair uchel, ac yn stompan ei fwyd i bob man, heb dderbyn unrhyw gerydd!

Wedi i ni orffen bwyta, gyrrwyd ni i olchi'n dwylo mewn padell gochen ar ben wal fach yr ardd. Gallwn arogli blodau'r ffa nes i Nansi ddechrau chwythu bybls drwy ei dwrn, a'm dysgu i i wneud yr un peth - lot o rai bach oddi ar ein bysedd ac un fawr drwy gylch ein bawd a'r bys cyntaf. Diflannai arogleuon yr ardd yng ngwynt cryf y sebon coch, ond beth yr ots! Ni welais erioed y fath liwiau tlws yn codi o unrhyw sebon arall. Pan ddaeth mam Nansi i chwilio amdanom ofnais y caem stŵr am inni wlychu ein ffrogiau, ond na, dod i ddweud wrthym oedd hi inni fynd i chwarae yn y caeau tra byddai tad Nansi yn ymolch drosto o flaen y tân ar ôl dod o'r pwll. Rhoddodd bobo ddimai i ni, ac atgoffodd Nansi ei bod i nôl llaeth cyn fy hebrwng i adref erbyn pedwar o'r gloch, pan fyddai fy nhad yn fy nisgwyl o'r ysgol.

Pan oeddem ni'n dwy'n mynd drwy'r gât, clywais hi'n dweud wrth Katie, 'Dyw hi ddim yn ga'l i gyd i fod uwchben 'ych dicon.'

Ni ddeallwn ystyr y geiriau, ond pan atebodd Katie, 'Ddim os y'ch chi'n unig blentyn, ta beth', gwyddwn mai siarad amdanaf fi oeddent, ond gan imi synhwyro nad gweld bai arnaf roeddent, do'wn innau'n malio dim.

Gwariwyd y dimeau ar *sherbet* a *spanish* mewn siop fach na fûm i ynddi erioed o'r blaen, er y gwyddwn amdani. Clywswn gan fy nhad am wrhydri mawr gŵr y wraig a'i cadwai. Yn ystod y Rhyfel mentrodd i ganol tân y gynnau mawr i gario partner a glwyfwyd i ddiogelwch, a chafodd wobr gan y brenin am fod mor ddewr, ond cafodd yntau ei ladd wedyn. Soniais wrth Nansi am hyn tra syllwn i ffenest y siop fach yn ceisio dewis beth i'w brynu, ond synnais yn fawr i'w chlywed hi'n dweud wrth wraig y siop, cyn inni brynu dim,

'Ma' Dilys yn mo'yn gweld y Medal, os gwelwch yn dda.'

Bron na chytunwn â Mam y funud honno fod Nansi 'braidd yn eger'. Ond ymddangosai gwraig y siop ddim ond yn rhy falch i'm harwain at y seld yn y parlwr. Trwy'r gwydr cefais gip ar y Medal ar ruban lliw, ac ar ei bwys mewn ffrâm arian, roedd llun dyn ifanc mewn dillad sowldiwr.

'Y Military Medal yw e, bach,' meddai. 'Yn Mametz Wood o'dd e.'

Ac er na wyddwn i sicrwydd ymhle yn union roedd y goedlan honno, daeth y cwbl a glywais am yr erchyllterau a ddioddefwyd yno gan Gymry ifainc yn fyw i'm cof, a sylweddolais na wyddai neb ohonom – ac nid yn unig fi – sut y gallai bywyd ein tynnu ni ymhell o'n cynefin a'n hanwyliaid.

Ond ar y presennol roedd golygon Nansi, a'i bryd ar wneud yn fawr o'r oriau rhydd a roddwyd inni mor annisgwyl. Roedd yn awyddus i ddangos i mi ryw fannau na wyddai neb ond hi amdanynt, ymhle tyfai'r blodau crynu dalaf, a lle'r oedd dŵr yr afon wastad yn ddigon cynnes i faddo traed ynddo. Dilynais hi drwy gaeau gwair bron yn barod i'w cywain, gyda llygaid-y-dydd tal yn gymysg â'r borfa, ond cadwodd Nansi fi i lwybrau bôn y clawdd. Roedd ei bryd ar gyrraedd y gweundir agored, gwastad, o ble y caem weld y Mynydd Du a hyd yn oed y Bannau yn y pellter. Fe wyddwn i fod tŷ Mam-gu ar odre'r Mynydd Du, ond ar y Cribarth oedd golwg Nansi; nid tŷ oedd yng nghysgod hwnnw ond castell, ddim llai na Chastell Madam Patti. A'r llinell o fryniau ar y gorwel, crwydrasom y gwastadedd gan gasglu plu'r gweunydd nes ffeindio tegeirian, ac yna chwilio am ragor o'r rheini, nes ei bod hi'n dda gennym roi'n traed blinedig yn nŵr cynnes yr afon fach. Roedd yr awyr yn las a digwmwl, a sylweddolais imi fod yn hapus drwy'r prynhawn, wedi'r holl fecso! Ymddangosai eisoes yn llai tebyg y byddai Mam-gu'n marw'n fuan. Rhaid oedd casglu'r blodau crynu ar y ffordd yn ôl, ac o'r cloddiau ychwanegwyd atynt flodau nadredd, coch a gwyn, ac wedyn llaeth-y-gaseg ac ambell rosyn gwyllt, a rhwymwyd y cyfan yn saff â thresi o lau'r 'ffeirad.

Pan ddaeth Nansi o'r tŷ, wedi nôl y stên laeth, a bobo ffroesen roliedig i ni yn rhedeg o ymenyn a siwgr ar hyd ei dwylo, rhyfeddais fod ei mam mor biwr. Efallai na fyddai cynddrwg wedi'r cwbl pan ddeuai'r amser imi fynd i ffwrdd o gartre i'r ysgol breswyl honno. Gwelais fod pobl ddieithr yn gallu bod yn garedig iawn.

Roedd gen i amser i fynd gyda Nansi at y fferm i nôl llaeth ond imi fynd adre heb loetran wedyn, meddai ei mam. Roedd y fferm honno'n un o'r ychydig dai yn yr ardal yr aem iddi gyda fy rhieni yn weddol aml, o'r Cwrdd ar nos Sul, neu, yn yr haf, am dro gyda'r nos ar hyd eu tir, ac roeddwn wrth fy modd yn cael gweld llo newydd, yn gwylio'r wraig yn godro neu'r gwas yn arwain y ceffylau yn ôl i'r stabal ar ddiwedd dydd. Roedd yn fyd gwahanol iawn i 'myd arferol i i lawr yn y cwm, yn sŵn a mwg y gwaith tun a thryciau'n siynto, ond serch hynny yn fyd y teimlwn yn gartrefol ynddo, er nad oedd yno bellach blant imi chwarae gyda nhw. Ond nawr roedd fel pe bawn yn dod i dŷ cwbl ddieithr, yn cyrraedd o gyfeiriad arall, ac ar hyd y llwybr cefn at ddrws y llaethdy. Gan taw Nansi oedd ar neges yno ni wthiais fy hun ymlaen, ond sefyll y tu ôl iddi. Ymfalchïwn 'mod i yno heb fy rhieni, fel pe bai hynny'n profi y medrwn wynebu bywyd ar fy mhen fy hun pan ddoi'n rhaid.

Cora, yr ast fach, a dynnodd sylw ataf wrth roi heibio'i chyfarth a rhedeg o'm hamgylch, gan ysgwyd ei chwt. Pan welodd Mrs Williams fi – yn cuddio, fel y tybiai hi – y tu ôl i Nansi, gwaedd-odd yn wyllt reit, yn gwbl wahanol i'w dull arferol,

'Dilys! Ble yn y byd ry'ch chi wedi bod? Odych chi ddim yn gwbod fod 'ych tad yn whil'o amdanoch ymhob man?'

'Dyw hi byth yn bedwar o'r gloch?' holais, wedi dychryn.

'Pedwar o'r gloch, wir! Ma'ch tad bron â mynd o'i gof yn whil'o amdanoch ers un o'r gloch, byth ers clywodd e fod yr ysgol wedi torri'n gynnar! Ble y'ch chi wedi bod, y ferch fach ddrwg? Nansi, ma' gennyt ti rywbeth i' ateb am hyn! Bydda i'n ca'l gair gyda dy fam fory! Ma' hanner y pentre'n whil'o amdani, neb o'r plant cinio-yn-yr-ysgol wedi ei gweld, na'r *teachers* chwaith. Ble fuoch chi'ch dwy'n cwato? Rhedwch ar unwaith tua thre, Dilys, da chi, ma'ch tad siŵr o fod wedi mynd at Tomos y Bobi erbyn hyn.'

A rhedeg wnes i, ar ôl gwthio fy nhwff o flodau gwyllt i freich-iau Nansi, a'i gadael hi i ddweud yr hanes wrth Mrs Williams. Rhedais bob cam i lawr y rhiw serth, nid tua thre ond i'r gwaith, lle nad oeddwn byth i fynd iddo heb ganiatâd. Ond yno debycwn i y deuwn o hyd i 'Nhad ar unwaith. Ac roeddwn yn iawn. Gwel-odd fi'n dod – merched y Piclin, fe glywais wedyn, a'm gwelodd yn rhedeg i lawr y tyle a rhoi gwybod iddo – a'r cwbl oedd yn bwysig oedd ei fod yno, a'i freichiau ar led i'm derbyn pan hyrdd-iais fy hunan ato, yn llefain, wedi colli f'anadl, yn becso imi beri iddo ef fecso amdanaf, yn flin imi fod yn ferch ddrwg ac yn ofni'r Polis – wn i ddim sut y gallodd ef ddeall fy stori o gwbl. Yr hyn oedd yn bwysig i mi oedd teimlo cyffyrddiad ei ddwylo ar fy ngwallt, a'i glywed yn fy sicrhau fod popeth yn olreit nawr, nad oedd e ddim mas o'i gof, ac na fûm i'n ferch ddrwg chwaith, a bod y clerc eisoes yn ffonio'r Bobi i ddweud 'mod i'n saff. Byddai popeth heibio ymhell cyn i Mam ddod adre, ac fe aem gyda'n gilydd i gwrdd â'i thrên – ar ôl imi ymolch fy wyneb, brwsio fy ngwallt, a'm sgidie, ac efallai newid i ffrog lân. Aeth â fi adre dros y Lein, er mwyn osgoi'r menywod a fyddai'n siŵr o ddod mas o'u tai i holi fy hynt, rhai ohonynt wedi bod yn chwilio amdanaf, a phan ddywedodd, â gwên, 'Dy'n ni ddim eisie'u gweld nhw, nag y'n ni?' gwyddwn ei fod yn deall, a'n bod ni'n ffrinds, fel arfer.

Yn ein llawenydd, ofnaf i ni anghofio'n llwyr am Nansi a'i theulu. Ond drannoeth cymerodd Mam wâc lan i ddiolch i Mrs Hopkins am ei charedigrwydd tuag ataf, a chlywais hi'n dweud wrth 'Nhad iddi 'estyn rhywbeth i'r crwt bach'. Dyna'r unig dro i mi fod yn nhŷ Nansi. Bu hi a minnau'n ffrindiau weddill fy nyddiau yn yr ysgol honno, ond dim mwy a dim llai na chynt. Ni soniodd hi erioed wedyn am ein hanturiaethau y diwrnod hwnnw, nac awgrymu inni fynd eto am dro. Rhaid nad oedd mor bwysig iddi hi ag y bu i mi.

A Mam-gu? Nid yn dost oedd hi wedi'r cwbl, ond wedi trefnu i'r gweinidog alw i wneud ei hewyllys, ac roedd am i'w holl ferched fod yno ar y pryd, fel na fyddai dim camddealltwriaeth pan na fyddai hithau ar gael i'w trefnu. Yn ôl Mam dylai'r profiad fod yn wers imi i beidio â mynd i gwrdd â gofid! Wn i ddim a wnaeth ef hynny, ond dysgais lawer o bethau yn ystod y diwrnod hwnnw o ryddid annisgwyl, er erys rhai pethau'n anodd eu deall yn llwyr o hyd.

YR ALWAD

Un prynhawn Gwener o hirddydd haf eisteddai fy mam a'm brawd a minnau wrth ein te. Byddem ni blant yn cael ein te cyn gynted ag y deuem o'r ysgol, ac yna byddai fy mrawd yn chwarae, a minnau oedd yn paratoi ar gyfer y Senior, gyda'm llyfrau pan ddeuai fy nhad adref o'i swyddfa tua chwech o'r gloch. Synnais yn fawr felly i'w weld, o'm lle arferol wrth y bwrdd yn wynebu'r ffenest, yn croesi'r gamfa ac yn dod i lawr at y tŷ, a hithau'n ddim ond rhyw hanner awr wedi pedwar! Pan ddywedais wrth y lleill ei fod yn dod, aeth Mam i'r drws i'w gyfarfod, gan holi a oedd rhywbeth yn bod.

Clywn ef yn ei sicrhau nad oedd dim o'i le, ac wrth gyrraedd y gegin eglurodd, 'Meddwl own i y byddai'n hyfryd i fynd dros y mynydd.'

'I Faes-yr-hedydd, ry'ch chi'n feddwl?' holodd Mam.

'Ie, beth am y gwaith cartre, Megan, elli di ddod?'

'Mae'n nos Wener,' atebais i, gan farnu fod hynny'n ddigon o reswm i'm rhyddhau i.

Roedd fy mrawd eisoes yn y cwtsh-dan-stâr yn nôl y bêl-droed a gafodd ar ei ben blwydd yn ddiweddar, ac yn gorfoleddu yn y cyfle i'w dangos i'w gyfaill y tu hwnt i'r Mynydd cyn i'w glendid lwyr ymadael â hi.

Mam yn unig, wrth arllwys te i 'Nhad, a ymddangosai'n llai na brwd.

'Pam mynd heno? Oni fyddai'n well mynd yn gynnar ar ôl cin'o fory a cha'l y pnawn ar ei hyd 'co? Gallai Megan dorri asgwrn cefen ei gwaith heno, a chei di Gwyn fynd i'r bath.' Roedd hyn yn fwy na fedrai fy mrawd wyth mlwydd oed ei dderbyn.

'Bydd hi'n bwrw fory,' protestiodd yn gwynfanllyd, ac er fy syndod, gan imi ofni y byddai trefnusrwydd arferol fy mam wedi ei argyhoeddi, ymunodd fy nhad yn y brotest.

'Os yw hi'n weddol hwylus i chi, Meri fach, rwy'n credu y byddai'n well gen innau fynd heno.'

Un o nodweddion hoffusaf fy nhad oedd ei wên fach, hannerswil. Ni fedrem ni blant, llai fyth fy mam, wrthsefyll honno, a chariodd y dydd y tro hwn fel bob amser.

'Pam, 'te?' holodd Mam, ond roedd ei thôn yn dweud wrthyf ei bod yn rhoi i mewn. 'O's 'na rywbeth neilltuol mla'n?'

'Na, alla i ddim dweud hynny, rhyw awydd gododd arna i'n sydyn yn yr offis y pnawn yma ... er bod digon i'w wneud yco, ond dim byd arbennig i'm rhwystro ... ac mae'n bnawn ffein anghyffredin! Fe lynca i 'nhe nawr, a gallwn ni fod ar ein ffordd cyn pen hanner awr.'

Dyna'r cwbl yr arhosais i'w glywed. Euthum i newid o'm dillad ysgol dan ganu, wrth feddwl mor hyfryd fyddai'r daith dros y Mynydd Du i'r wlad, a'r perthi'n llawn o rhosys gwylltion a gwyddfid. Meddyliwn hefyd am y cwmni diddan a'n disgwyliai yng nghartref ein ffrindiau. Aroglwn eisoes yn fy nychymyg sawr y tân coed, a oedd mor anghynefin i ni, wŷr y pyllau glo a'r gweithiau tun.

Gweinidog oedd yn byw ym Maes-yr-hedydd. Symudasai o'n hardal weithfaol ni i'r wlad ers rhai blynyddoedd ond parhaodd y cysylltiad clòs rhwng ein teulu ni a'i deulu yntau. Roedd ganddo fab a merch tua'r un oed â'm brawd a minnau, a chan fod y ddwy wraig hefyd yn ymddiddori yn yr un pethau, nid rhyfedd i'r cyfeillgarwch oroesi'r symud, ac yn wir ddyfnhau wrth i'r blynyddoedd fynd yn eu blaen. Ond sylweddolaf erbyn hyn mai'r cyfeillgarwch rhwng 'Nhad a Mr Rhys oedd y garreg sylfaen i holl adeilad cyfeillgarwch y gweddill ohonom. Efallai'n wir na fyddai'n ormod i ddweud mai ar bersonoliaeth y gweinidog ei hun y seiliwyd y cwbl, oherwydd roedd ef yn gyfaill i bob un ohonom yn ogystal ag i 'Nhad. Byddwn yn edrych ymlaen wrth groesi'r mynydd nid yn unig at weld Nest ond hefyd at weld ei thad, a'm brawd yn chwennych cymeradwyaeth Mr Rhys lawn cymaint ag un Ieuan i'w ddiddordebau newydd. Ac os digwyddem fynd i Faes-yr-hedydd pan fyddai ef oddi cartref ar ryw daith bregethu tua'r gogledd, er y byddai croeso'i wraig a'i blant lawn mor gynnes ag arfer, ni theimlai'r un ohonom ar ein ffordd adref i ni gael yr union un hwyl. Rhoddai ei bresenoldeb ef wawl arbennig ar bob cyfarfod, ac nid oedd dim – nid oes dim – yr un fath hebddo.

Nid oedd yn ŵr tal, ac un sleit o gorff ydoedd, ond hawliai eich sylw o'r funud gyntaf y gwelech ef. Yn dywyll ei groen, a thywyll iawn ei wallt a'i lygaid, y llygaid yn ddiamau oedd y pethau yr hoeliai eich sylw arnynt gyntaf. Nid yn hawdd y gellid eu diystyru; amhosibl, hyd yn oed yn awr, eu hanghofio. Ac yna ei lais; ni fedr neb a'i clywodd yn pregethu fyth anghofio'i lais, yr hanner-tôn a gyrhaeddai waelodion eich bod, fel na fedrech fyth ddianc o'i chyfaredd, na dewis dianc chwaith! Ni pherthynai i enwad y gwisgai ei weinidogion arwydd allanol o'u galwedigaeth, ond ni chredaf i neb yng Nghymru amau erioed o'u cyfarfod cyntaf ag ef, beth oedd natur ei waith a'i swydd. Rhyw gyfriniaeth yn ei bersonoliaeth a gyfrifai am hynny yn hytrach na dim byd sych neu bregethwrol yn ei osgo. Yn wir caem ni blant fwy o firi a rhialtwch yn ei gwmni ef nag yng nghwmni neb arall mewn oed. Roedd iddo ryw nwyf synhwyrus a'n clymai ni wrtho. Ond pan fyddai yn y pulpud anghofiem ein perthynas agos ag ef. Gwas ydoedd y pryd hwnnw na feddyliai am ddim na neb ond ei Feistr. Ac wrth fwrdd y Cymun mwy nag unwaith, gwelais y wyneb cyfarwydd yn cael ei drawsnewid gan ing a loes, a chofiaf ar un o'r adegau hynny deimlo rhyddhad o weld mai chwys oedd ar ei dalcen a'i ddwylo, ac nid gwaed. Ar y Suliau hynny ni fyddai byth yn galw yn ein tŷ ni am fwgyn cyn swper, ond âi adre'n syth ar hyd y ffordd gefn, gan osgoi'r pentref.

Dyn gwahanol iawn oedd fy nhad. Byddai ef yn ymatal rhag dangos teimlad cyhyd ag y medrai, er o dan yr wyneb roedd yntau'n ŵr teimladwy. Hwyrach mai ffrwyth ei swildod oedd ei ddawn i feistroli ei feddyliau a ffrwyno'i eiriau a'i deimladau. Bu'r doniau hyn wrth gwrs yn gaffaeliad mawr i weinidog a phraidd yn ein capel ni ar hyd y blynyddoedd, ond o'r holl weinidogion a gefnogwyd gan fy nhad yn ffyddlon, drwy dywydd garw a heulwen, ni fu'r un mor agos ato â Mr Rhys.

I ddychwelyd at fy stori, pan gyraeddasom Faes-yr-hedydd yr hwyr-brynhawn hwnnw, roedd Nest a Ieuan wrthi'n glanhau eu beiciau ger y gât wen ar ochr y ffordd fawr.

'Roedd Dad yn dweud y byddech chi'n dod!' gwaeddodd Nest â llond ei llais o syndod, ac i ffwrdd â hi i'r tŷ yn llawen i dorri'r newydd.

'Ffonioch chi nhw o'r offis?' holodd fy mam.

'Naddo,' atebodd fy nhad, gan grychu ei dalcen.

Roedd Gwyn a Ieuan eisoes yn cicio'r bêl-droed, a'r archwiliad cyntaf arni drosodd pan ddaeth Mr Rhys i lawr i'n cwrdd gan ddweud, 'Wel, wel, rwyf wedi bod yn eich disgwyl drwy'r prynhawn; rhywbeth yn dweud wrthyf eich bod yn siŵr o ddod, er i'r wraig fynnu ei bod lawer tebycach y deuech fory! Wel, dowch i mewn.'

Safai'r tŷ ar ben bencyn yng nghanol gwlad fwynaf Cymru i gyd. Ar ôl dringo, arhosodd fy nhad i edrych, dybiwn, ar yr afon islaw a'r bryniau coediog gyferbyn, ond yr hyn a ddywedodd, â'i wên fach swil, oedd, 'Drychwch 'ma! Beth 'taen ni'n mynd am dro bach i weld y llyn? Fues i ddim yno 'rioed, ac wedi 'rofun mynd droeon. Mae'n ffein iawn heno.'

'Wel fachgen, dewch inni ga'l mwgyn gynta! Cawn weld wedyn.'

Daeth y wên honno'n ôl i wyneb 'Nhad, ac meddai, 'Mynd mla'n ma'r amser.' Gwyddai'n dda mor anodd fyddai symud unwaith y suddai i'r gadair freichiau yn y stydi. Mwy pwysig imi ar y funud oedd rhannu cyfrinachau â Nest, ac eisteddem ein dwy ar ben wal fach yr ardd, gan daflu'r bel yn ôl at y bechgyn pan ddeuai ar ein cyfyl.

Cyn bo hir daeth ein rhieni o'r tŷ, gan ddweud eu bod nhw'n mynd mor bell â'r llyn, ac y caem ni aros gartre a pharatoi swper, neu fynd gyda hwy, fel y mynnem. Penderfynu mynd a wnaethom oll! Es i yng ngherbyd y gweinidog gyda Nest, a Ieuan yn dilyn gyda Gwyn yn ein car ni.

Ni chofiaf lawer am y daith drwy'r lonydd culion, gwledig, 'yn gul gan haf', cofiaf i Mrs Rhys ddyfynnu, nes inni ddod at groes-ffordd, ac i'w gŵr amau p'run o'r ddwy lôn i'w chymryd.

'Daw unrhyw un o'r ddwy â ni i ben ein taith,' meddai, 'ond mae rhyd ar un ohonynt, ac mi all fod tipyn o ddŵr wedi'r glaw diw-ethaf. Gwell imi holi yn y tŷ yma p'un fydd orau i ni.'

Ac allan ag ef gan egluro wrth fy nhad ar ei ffordd.

Bu gryn amser yn y tŷ, a phan ddaeth oddi yno deallem fod rhywbeth o'i le. Aeth yn gyntaf at gerbyd fy nhad a siarad â'm rhieni, a gwelais hwy'n disgyn o'r car. Yna daeth at ei gar ei hun, a heb edrych arnom ni'n dwy yn y cefn, siaradodd â'i wraig.

'Gwell iti ddod mewn fan hyn am funud. Ma' 'na hen bererin yn yr afon. Falle y gallwn ni ei helpu – dere!'

Deallem ni'n iawn mai'r Iorddonen oedd yr afon, ac ni fedrwn i lai nag ategu yn fy nghalon y geiriau a fynegodd Nest ar g'oedd, a'i holl lais ac osgo yn un brotest fawr.

'O, Dad, pa eisie sy i chi fynd 'na? Ble ma'i weinidog ei hunan?'

Nid atebodd ei thad hi ond roedd yr edrychiad a daflodd i'n cyfeiriad yn ddigon i'n distewi.

'Byddwch yn ferched da, distaw nes down ni 'nôl,' meddai ei mam wrth adael y car, 'a chedwch y bechgyn yn dawel hefyd.'

Gwyliasom y pedwar yn mynd yn araf trwy glos y tŷ, Mr Rhys ychydig o flaen y lleill. Aethom ninnau at y bechgyn.

'Dewch i ni ga'l gêm fach ein pedwar,' mynte Ieuan, gan esgus taflu'r bêl-droed at ei chwaer.

'Na, fydd Dad ddim yn fodlon,' atebodd Nest, gyda holl bendantrwydd y chwaer hŷn. 'Gwell inni fynd am dro.' Denai'r tŷ ninnau hefyd, ac euthom i fyny'r lôn wrth ei ochr. Wedi mynd heibio iddo, gwelsom iddo gael ei adeiladu i gesail y ffordd, fel ein bod yn fuan ar yr un lefel â'r ddwy ffenest llofft. Roedd un ohonynt yn cael ei chadw ar agor o'r gwaelod gan lestr-dal-blodau, ond roedd y top i lawr i'r hanner hefyd.

'Mae e bownd o fod yn wael iawn cyn eu bod yn agor cymaint â 'na o'r ffenest,' meddai Nest yn isel, ond gydag awdurdod un a eglurai imi, na wyddai ddim amdanynt, ddulliau gwahanol gwŷr y wlad.

Wrth inni nesu clywem lais Mr Rhys yn darllen o'r Beibl. Aeth rhyw ias trwof, a dywedais wrth Nest am ddod 'nôl i'r car, a pherswadiodd hi'r bechgyn i ddod gyda ni. Disgynnodd rhyw dawelwch ar y pedwar ohonom, ac ni wnaeth ymgais Ieuan i'n difyrru drwy ddynwared ei dad yn darllen 'Nac uchder, na dyfnder nac un creadur arall' ddim ond mynd ar ein nerfau. Dechreuasom gwympo mas â'r bechgyn, ac roedd yn dda gennym weld ein rhieni'n dod yn ôl at y ceir. Edrychai Mr Rhys fel y gwnâi ar ôl ambell oedfa, yn flinedig a llwyd. Sylwais arno'n edrych yn hir ar ei wraig heb ddweud yr un gair a gwelais hithau'n gwasgu ei law cyn iddo droi'r allwedd i danio'r car. Llywiodd y cerbyd i'r ffordd isaf o'r ddwy, a ninnau'n ei chael hi'n anodd cuddio'n chwilfrydedd. Er imi adael Nest i'w holi, nid oeddwn innau'n llai awyddus i wybod beth a aeth ymlaen yn yr ystafell wely honno a'r ffenest ar agor.

'Pwy o'dd e Dad? O'dd e'n hen iawn? Ble o'dd ei weinidog e'i hunan, neu o'dd e ddim yn mynd i'r cwrdd? Gwedwch rwbeth, w; odi fe'n mynd i wella?'

Distawrwydd am ennyd. Yna atebodd ei mam, 'Na, dyw e ddim mynd i wella, Nest. Ond ro'dd e'n cysgu'n dawel pan adawson ni e.'

'O'dd yr hen wraig yn llefen? O'dd ganddo blant?'

'Ma' dy fam wedi dweud cymaint â sy eisie nawr, Nest,' meddai ei thad yn ddigon caredig ond mor bendant fel nad oedd modd holi rhagor ar y pryd. Gan edrych arnaf fi, ond gan ofalu na welai ei rhieni hi, tynnodd Nest ei gwefusau'n dynn at ei gilydd a nodio'i phen mewn ystum fach watwarus, cystal â dweud 'fel 'na, iefe?'

Aethom ymlaen ar hyd y ffordd gul ac yna gadawsom y cloddiau a chyrraedd yr unigeddau agored.

'Bydd yn barod i neidio i lawr i agor y glwyd acw, Nest,' meddai ei thad dros ei ysgwydd. Ond wrth nesáu ati gwelem fugail a'i gi yn eistedd ar ymyl y ffordd, a phan welodd y car bu cystal ag agor y gât i ni. Wrth inni fynd trwyddi, a Mr Rhys yn gweiddi gair o ddiolch, craffodd y bugail arnom a gweiddi'n ôl,

'Pregethwr y'ch chi?'

Arafodd Mr Rhys ac aros.

'Clywch, galwch yn y tŷ 'na wrth y groesffordd ar eich ffordd 'nôl. Ma' hen ddyn fan 'na yn ffaelu â marw. Dylai fod wedi mynd ers dyddia! Ei gydwybod sy'n ymhél ag e – ond peidiwch â dweud ma' fi a'ch halodd chi yno, chwaith.'

Roedd Nest a minnau'n glustiau i gyd, ond cyn inni gael clywed rhagor o'r manylion cyffrous disgynnodd Mr Rhys o'r car ac aeth â'r llanc i ymyl y ffordd i sgwrsio'n dawel. Hawdd oedd casglu ei fod yn egluro iddo alw eisoes yn y tŷ, ond ar sylwadau'r bugail, yr hyn yr hoffem yn fwy na dim allu eu clywed, ni fedrem graffu dim.

Oddi yno ymlaen at y llyn ni chafwyd dim rhagor o gynyrfiadau. Ar ôl edrych o gwmpas ychydig, eisteddodd ein rhieni ar lan y llyn, fel pe bai o'r neilltu, heb ddangos fawr diddordeb yn eu plant. Cafodd y ddau grwt lonydd i chwarae, casglodd Nest a minnau flodau gwylltion, rhai ohonynt yn ddigon anghyffredin i lonni calon f'athrawes Botaneg fore Llun, ond ni pheidiem ni'n dwy â cheisio dyfalu pa enbydrwydd roedd yr hen ŵr yn euog ohono, gan ddychmygu'r gwaethaf y gallai'r meddwl pymtheg oed yn yr oes honno ymgyrraedd ato. Ond ni fedrem ond dyfalu, a gwybod a fynnem. Aeth Nest a mi yn ôl yng nghar fy nhad, a'r bechgyn y tro hwn gyda'r Rhysiaid. Fy nhro i ydoedd nawr i holi fy rhieni i.

'O'dd y dyn 'na siŵr o fod wedi gneud rhwbeth ofnadw iawn. Lladd rhywun, ma'n debyg? O'dd e wedi bod yn y jael?'

Ar ôl tipyn o oedi, a mam fel pe bai ar fin dweud rhywbeth, ac yna'n newid ei meddwl, dywedodd 'Nhad,

'Gadel i rywun arall gymryd y bai am drosedd ro'dd e wedi ei chyflawni na'th e. Peth ofnadw yw gadel i rywun arall gario'r bai. Gofalwch na wnewch chi byth mo hynny!'

A dyna'r cwbl a gawsom glywed y noson honno am drosedd y dyn hwnnw. Pan ddaethom at y tŷ wrth y groesffordd sylwodd Nest fod hanner ucha'r ffenest wedi ei chau er bod y llestr bach yn dal y gwaelod ar agor o hyd.

'Mae e wedi mynd i chi!' meddai'n fuddugoliaethus. 'Ma'n nhw wastod yn cau'r ffenest cyn tynnu'r bleinds yn y wlad!'

'Dyw Mr Rhys ddim yn sefyll,' meddai Mam wrth fy nhad, gan anwybyddu Nest yn llwyr. Ac ymlaen â ninnau, a'r nos hafaidd yn graddol gau o'n cwmpas.

Tra oeddem ni ferched yn golchi'r llestri swper yn y gegin fach, wedi gofalu gadael y drws led y pen, fel y gallem glywed bob gair o'r gegin fawr, clywem Mr Rhys yn dweud na fedrai lai na gweld llaw Rhagluniaeth yn y fusnes.

'Ffordd arall y gallwch chi egluro i chi deimlo anesmwythyd yn yr offis y pnawn 'ma, a minnau fan hyn mor siŵr y cawn eich gweld cyn nos? A bachgen, bachgen, eisie mynd at y llyn yna yn syth ar ôl cyrraedd, yn lle setlo lawr fel arfer yn y stydi, a'r haf i gyd o'n bla'n ni i fynd yno – do'dd e ddim yn naturiol nawr, o'dd e?'

'Ro'dd yn sicr yn rhyw gyd-ddigwyddiad rhyfedd,' atebodd 'Nhad. Yna ychwanegodd, 'Ni chlywes i ddim ohonoch yn well erio'd nag wrth ochor y gwely 'na heno.'

Ac i un a fesurai ei eiriau fel fy nhad, roedd hynny'n ddweud mawr.

CYSGODION RHYFEL

CYFARFOD (AWST 1939)

Daliais y trên mewn da bryd i gael sedd yn y gornel a chompartment i mi fy hun. Rhoddais fy nghes ar y rac, a'r *Times* yn ei blyg yn fy ymyl – er go brin y byddwn am ddarllen o gwbl ar y siwrnai hon, a minnau â mwy na digon i lanw fy mryd heb falio, am unwaith, am y byd yn gyffredinol. Gallwn bellach ganiatáu i mi fy hun orfoleddu yn fy llwyddiant, er nad dyna'r union air, er imi lwyddo, o do, o'r diwedd. Na, gorfoleddu yn hytrach yn y rhyddhad; ie, dyna well gair, ac iddo fwy nag un ystyr. Wedi'r holl gynllunio – yr oriau o sefyllian a holi yn Bloomsbury House, y llenwi ffurflenni, y disgwyl am atebion, a'r rheini'n siomedig, a gorfod ailddechrau ar yr un broses, y gwaith papur, a'r aros, – o'r diwedd cael yr ateb na chaniateais i mi fy hun freuddwydio amdano. Llwyddiant! Cafodd swydd cyfieithu a chlercio cyffredinol mewn banc yn Bishopsgate. Nid swydd ddelfrydol, wrth gwrs, ond un a fyddai'n rhoi cyfle iddo ddianc yn gyfreithlon. Rhagor o gnoi ewinedd wrth weld cymylau rhyfel yn llenwi'r ffurfafen, hyd yn oed dros Brydain. A fu'n rhy ddiweddar? Yna derbyn y teligram yn cyhoeddi ei fod ar ei ffordd! Rhuthro i ffonio Gretl yn Llundain i ofyn iddi gwblhau'r trefniadau i rentu'r ystafell honno yn Belsize Park, ac i Franz gyfarfod â'i drên yn Victoria, ei arwain i'w lety a gweld bod rhywfaint o fwyd yno. Trefnu fy ngwaith fy hun imi gael y penwythnos yn rhydd, a dyma fi, ar fy ffordd ato!

Mor anfoddhaol fu'n sgyrsiau wedi iddo gyrraedd diogelwch Llundain, dim mwy na diolch i mi yn ddiddiwedd, fy sicrhau fod y *bedsitter* yn 'wych', a Gretl a Franz yn 'angylion gwarcheidiol'. Ond teclyn anfoddhaol fu'r hen ffôn erioed i gyfleu teimladau, mewn unrhyw iaith! Er hynny fe drefnwyd lle ac amser i ni gwrdd â'n gilydd heddiw.

'Wedi tri diwrnod yn Llundain,' fe'm sicrhaodd, 'wrth gwrs y gallaf ffeindio'r ffordd i stesion Paddington!' Onid oedd map y Tiwb wedi ei hen argraffu ar ei ymennydd erbyn hyn, ac yntau wedi syllu arno'n obeithiol am fisoedd yn y dyddlyfr a ddanfonais iddo'r Nadolig? Diolchwn fy mod yn gallu dibynnu ar Gretl i rwystro Franz rhag dod gydag ef i Paddington! Ac wrth gwrs, byddai popeth fel arfer pan gyfarfyddem, ac yn ystod y siwrnai roedd gen innau gyfle i'm paratoi fy hun, drwy fynd drosodd yn fy meddwl hyfrydwch ac afiaith ein holl gyfarfyddiadau, o'r sgyrsiau cyntaf o gwmpas byrddau coffi, i gael fy nhywys ganddo i ryw fannau o bwys yn y ddinas na ddarganfûm i fy hunan, wedyn y cerdded yn y Wienerwald, y cyngherddau o bob math, a chwmnï-aeth y cabanau pren ar lan yr afon. Bron na theimlwn fel chwislan *An die schöne blaue Donau* yn y fan a'r lle! Ond yna cofio'r ffarwelio, dim mwy nag am ychydig fisoedd y gobeithiem ar y pryd. Min-nau'n gadael o'r Westbahnhof ac yn ei wylio'n mynd yn ffigur llai a llai ar y platfform wrth i'r hen drên godi stêm. Ni feddyliais mai ar stesion Paddington y gwelem ein gilydd nesaf, y stesion fwyaf cyfarwydd i mi o holl orsafoedd mawr y byd – bron yn estyniad o Gymru yn fy meddwl, gan mor aml y teithiais yno ac oddi yno. A nawr byddai ef yn cyfarfod â mi yno, ac yn fy ngwylio, mae'n siŵr, yn dod yn nes ac yn nes, a minnau, o'i weld, yn methu â rhedeg yn ddigon cyflym ato!

O diar, dyna ddwy hen fenyw dew â bagiau di-rif yn cyrraedd y coridor. Dim ond mewn pryd, a'r gard eisoes yn chwifio'i faner werdd, a'i chwib rhwng ei wefusau. Gobeithiais na ddeuent ataf, neu byddai'n rhaid imi wneud sioe fawr o ddarllen y *Times*, a dal i freuddwydio a chynllunio y tu ôl i'r dalennau llydain. A minnau'n meddwl fy mod i'n ddiogel o'u gwylio'n mynd heibio, dyma'r hynaf yn ei hôl, yn agor y drws, a gwaeth fyth yn gweiddi,

'Glenys, der i weld pwy sy 'ma! Rown i'n meddwl 'mod i wedi'ch nabod chi; chi'n mynd yn debycach i'ch mam bob dydd! Glenys! Ble ma'r groten 'na, gwedwch y gwir!'

Daeth Glenys yn ei hôl yn araf. Chwarae teg iddi hithau, yn ei gofal hi oedd yr holl barseli, ac roedd hi ar drugaredd ei mam a roddai ordors sut a ble i roi'r bagiau, gan egluro iddi'r un pryd pwy oeddwn innau. Pe bai Glenys yn fwy serchus efallai y byddwn wedi teimlo drosti, ond cofiwn yn hytrach am yr holl sôn amdani, fel Sister sych, sarrug a thra-awdurdodol yn yr ysbyty leol. Roedd ei mam ymhell o fod yn sych, ond hawdd gweld gan bwy y dysgodd Glenys fod yn awdurdodol.

'Mynd i Lunden ry'n ni, a chithe sbo. Mynd i briotas Meurig ry'n ni. Ry'ch chi'n cofio Meurig? Ro'dd e'n y Coleg 'run pryd â chi. *Physics*, chi'n cofio? Na'th e'n dda 'ed. A bachgen da idd'i fam! Gobeitho y bydd e'n hapus, yntefe? Dyna pam ma' shwd lot o barseli 'da ni, y tylwth yn cymryd mantes i hala pethe 'da ni; digon naturiol, wrth gwrs.'

Erbyn hyn roedd hi wedi ei sêtan ei hunan wrth y drws i'r coridor yr un ochr â mi, a Glenys wedi trefnu'r amryw barseli ar y rac ac ar hyd y seddau bob ochr, fel na fyddai'n hawdd i unrhyw deithiwr arall weld sedd wag yn ein plith yng Nghastell-nedd, Caerdydd na Chasnewydd. Yna setlodd i lawr gyferbyn â'i mam i ddarllen y *Nursing Mirror,* heb siario'r diddordeb yn fy nheulu i, ac, mi dybiwn, wedi cael hen ddigon ar dderbyn ordors yn lle'u rhoi! Trwy lwc roedd Mrs Richards yn fwy cyfarwydd â chwiorydd Mam nag â ni fel teulu, a bu'n ddigon hawdd ateb ei chwestiynau amdanyn nhw, a chofiais innau am ambell berthynas iddi hithau lawr tua Chasllwchwr, a holais amdanynt hwythau. Gan i'w diweddar briod fod yn eisteddfodwr mawr ac yn gerddor o beth bri, gwyddwn sut i'w chadw hi'n ddiddig gyda phethau saff fel'ny, er imi weld y golau coch unwaith, pan gofiodd imi fod yn Vienna. Ysgydwodd hi'r *Nursing Mirror* o flaen trwyn Glenys i'w hatgoffa o'r ffaith honno, ond y cwbl a ddywedodd hi oedd mai yn y Park Hotel yn Schönbrunn yr arhosodd hi a'i thad pan fuon nhw yno – a'i mam wedi methu â mynd achos ei bod hi newydd gael ei *varicose veins* mas.

Ond yna edrychodd arnaf dros ei sbectol, a'm cyfarch am y tro cyntaf, gyda chwestiwn.

'Mynd i Lunden i enjoio, neu i swoto y'ch chi?'

'Peth o'r ddau, gobeithio,' atebais, gan wybod imi wrido, a bod y nyrs broffesiynol hon wedi nodi'r ffaith. Sylweddolais y byddai'n rhaid imi fod yn garcus iawn wedi cyrraedd Paddington.

Troais y sgwrs yn ôl i briodas Meurig – nid bod gennyf y diddordeb lleiaf yn nhynged y llipryn main hwnnw, ond fel modd i gadw'r hen wraig rhag sôn am Mam o hyd, a minnau eisiau anghofio'r geiriau siarp fu rhyngom ni'n dwy yn ddiweddar, hyd yn oed y bore hwn cyn i mi ymadael.

'Bydde'n well 'da ni, wrth gwrs, 'se fe wedi ca'l Cwmreiges fach, ond dyna fe, unweth ma'n nhw'n ca'l addysg, dy'ch chi byth yn gwbod beth i' ddishgwl wedyn. Ond ma' Brenda'n ferch fach lyfli, cofiwch, 'sdim byd yn rong arni, peidwch â'm camddeall, ond – dyna fe, teimlad mam, yntefe, 'ta pwy fydde hi.'

Naturiol efallai oedd iddi fy holi innau am sboners. Trwy lwc roedd hi wedi clywed stori amdanaf fi a rhyw bregethwr bach, a gadewais hi i gredu bod hwnnw yn dal ar fap fy mywyd, er na chofiwn erbyn hynny liw ei lygaid hyd yn oed.

Wrth fynd trwy dwnnel Hafren penderfynais gymryd te ar y trên. Roeddwn yn weddol siŵr na fydden nhw'n debyg o wneud hynny, ac felly y bu. Nid oeddwn wedi bwriadu ychwanegu'r gost honno at wariant y dyddiau nesaf yn Llundain, ond bu'n werth pob ceiniog, i gael ffoi. Mwynheais ail sigarét cyn gadael y bwrdd, a loetran wedyn yn y coridor i wylio erwau llydain Lloegr yn cael eu cynaeafu – cyn dechrau'r frwydr, meddyliais. Wel, fe allwn i wynebu'r rhyfel bellach! Roedd Moritz yn saff a chyfle ganddo i gymryd ei siawns – fel y byddai'n rhaid i ni i gyd. Roedd y dyfodol yn sicr o fod yn un tywyll i bawb – Mrs Richards a'i Glenys hefyd, er nad oeddent yn sylweddoli hynny, efallai. Cystal iddynt wneud yn fawr o'r briodas; fyddai 'na ddim llawer o wledda ar ôl hyn iddynt hwythau. Ond i mi, fe roddwyd un funud olau cyn y dinistr, ac roeddwn wedi penderfynu gwneud yn fawr ohoni. Ie, Glenys, 'joio mas draw', nid yn unig gan na wyddwn beth oedd o'n blaen, ond oherwydd i mi eisoes ennill un frwydr yn erbyn Hitler! Ac os nad 'swoto' y byddwn i, fel y credai hi, mi fydden ni'n mynd i'r B.M. o leiaf! Rhaid imi sicrhau tocyn darllenwr iddo, fel y câi'r un lloches yno â chynifer o ffoaduriaid o'i flaen. Gallai dreulio ei Sadyrnau yno beth bynnag, a phwy a ŵyr na ddeuai'r rhyfel â chyfle iddo ailgydio mewn gwaith academaidd. Eisoes trefnais iddo gyfarfod bnawn Sul â nifer o'm ffrindiau o gyffelyb anian, yn yr English-Speaking Union o bob man, diolch i gyfeilles sydd yn aelod yno, a synnwn i ddim na fyddai Moritz yn llai anghysurus na mi yn y sefydliad hwnnw! Ond cysylltiadau, dyna fyddai'n hollbwysig iddo nawr.

Roeddwn wedi hen anghofio am fy nghyd-deithwyr pan welais Glenys hefyd yn syllu drwy'r ffenest dipyn i lawr y coridor. Tybed a oedd yno i gael smôc fach, mas o olwg ei mam? Ymlwybrais ati'n araf a chynnig iddi fy mhecyn.

'Ych-a-fi, Turkish!' meddai, gan godi ei thrwyn. 'A fydde'n well i chithe bwyllo 'ed. Byw ar 'ych nerfa, iefe? *No good*, credwch chi fi! Ond 'na fe, ry'ch chi'n deall mwy am be sy o'n bla'n ni, sbo. Ma' lle ofnadw wedi bod tua Vienna ers bu Dad a fi yno. Fuoch chi yno wedi i Hitler fynd â'r wlad?'

'Na; ma' lot o'm ffrindiau i wedi dod mas. Mynd i aros gydag un ohonyn nhw ydw i.' A rhoddais grynodeb o hanes Gretl iddi.

'Bydd hi'n 'ych cwrdda yn Paddington?'

'Na, na. 'Sdim eisie i neb gwrdd â fi yn Paddington; rwy mor gyfarwdd â'r lle. Bydd eich brawd yn cwrdd â chi?'

'Fy mrawd hyna. Ma' Bryn ni â wâc la'th yn Llunden ers i'r gwaith tun gau lawr. Yn slafo, cofiwch, ond yn ei gwneud hi'n nêt. Unwaith y cyrhaeddwn ni, bydd Bryn *in charge* o Mam, a diolch byth! Wy' wedi gneud 'yn siâr drwy ei cha'l hi mor bell â hyn!'

'Ble ma'ch brawd yn byw? Bydd gyda chi lot o ffordd i fynd?'

Gweddïais na ddywedai unrhyw fan ar y Northern Line.

'Streatham', oedd yr ateb. Ni fedrai fod yn well o'm safbwynt i; ni fyddai'n rhaid i'n llwybrau groesi eto. Ni fyddwn i'n mynd yn agos i'r un capel Cymraeg y tro hwn, felly yn Paddington yn unig y byddai'n rhaid imi wylio fy nghamre. Cymryd fy amser, eu helpu nhw gyda'u bagiau, heb ddisgyn o'r trên nes i Bryn eu carto nhw i ffwrdd. Yna mynd i lawr y coridor dipyn, a disgyn ymhellach i lawr y platfform. Dyna fyddai'r cynllun gorau i mi ar ôl cyrraedd.

'Beth ry'ch chi'n mynd i' wisgo i'r briodas?' holais, nid o ddiddordeb, ond er mwyn cael aros yn y coridor yn hwy.

'Costiwm *beige*, eitha neis, o Lewis Lewis. Rown i wedi leico blows *emerald*, ond dododd Mam ei thro'd lawr. Gwyrdd yn anlwcus! *So*, het a blows las; streicais inne yn erbyn y pinc o'dd Mam yn leico.'

'A'r briodferch?'

'Gwyn i gyd, y *full regalia, bridesmaids, flower-girls, the lot!*'

'Wel, hwyl fawr i chi, cofiwch fi at Meurig, a dywedwch 'mod i'n dymuno "priodas dda" iddo.'

Pan aethom yn ôl i eistedd roedd Mrs R. yn cysgu, felly suddais i'r tu ôl i'r *Times*, wedi gweld Glenys yn agor *Woman's Weekly*. Ac o dipyn i beth cyraeddasom faestrefi Llundain. Deffrodd Mrs R. i ymgolli yn ei gofal am y cesys a'r parseli. Dechreuais innau ffarwelio â nhw y funud yr arafodd y trên. Chwifiodd Glenys ar Bryn, a heb edrych ar y platfform, a gan fy nghadw fy hun o olwg y brawd, helpais i nhw i grynhoi eu parseli. Dioddefais gusan blewog gan Mrs R., a llwyddodd Glenys hyd yn oed i wenu wrth ddymuno amser da i mi gyda'm ffrind fach. Estynnais innau fy nghes a brysio allan i'r coridor, gan gerdded i lawr gryn bellter cyn agor drws i'r platfform. Yn hytrach na'r rhedeg y breuddwydiais amdano, loetran oedd orau i mi a cherdded yn araf, ond gan chwilio'n ofalus am Moritz.

Yn fuan fe'i gwelais, ffigur bach llonydd yn sefyll ar ei ben ei hunan, ac fel pe bai cylch o wacter o'i gwmpas. Syllai i'r pellter, wedi sylweddoli nad oeddwn i ym mhen blaen y trên.

Chwiliais o'm cwmpas am y teulu Richards ond trwy drugaredd roeddynt wedi diflannu. Edrychais eto ar Moritz – ac yntau'n dal heb sylwi arnaf fi – a symudais yn araf, gan gadw ymhlith y dorf, tipyn i'r dde o'r fan lle safai ef ar ymylon y llifeiriant pobl. Yr hyn a welwn oedd Iddew byr, yn tynnu at y canol oed, yn sefyll ar ei ben ei hun, a daeth i'm meddwl nad trwy rym ei bersonoliaeth yr hawliai'r lle hwnnw iddo'i hunan a'r gofod gwag o'i gwmpas, ond oherwydd nad oedd yn perthyn o gwbl i'r dorf a lifai heibio iddo. Ni sylwais o'r blaen mor fyr ydoedd, na mor dywyll oedd ei groen. Mor ddieithr yr ymddangosai yn Paddington! Gwrthodais y gair 'estron', ond dyna a ddaeth i'm meddwl gyntaf. Sut na theimlais i hyn erioed o'r blaen? Wel, fi oedd yr estron yn Vienna, hwyrach. Gŵr estron felly, un ar wahân, ddim yn perthyn – *alien* fyddai'r gair Saesneg. Wedi dychryn, holais fy hun a oedd yn bosib bod propaganda'r Natsïaid mor glyfar nes dylanwadu hyd yn oed arnaf fi – fi, o bawb?

Gallwn ddal i gerdded ymhlith y dyrfa o ddynion a merched bywiog yn siarad ag acen Gymraeg, a chael fy nghario ganddynt, megis, at y Tiwb, heibio iddo, heb iddo ef fy ngweld. Nid oedd yn rhaid iddo wybod i mi fod yn Paddington. Heddiw, wedi'r cwbl, roeddwn wedi gwneud fy nghymwynas iddo. Roeddwn yn rhydd i ddychwelyd at fy mhobl fy hun, os mynnwn. Rhoddwyd ail gyfle i mi. Agorwyd fy llygaid cyn ei bod yn rhy hwyr. A byddai Mam wrth ei bodd!

Roeddwn yn nesáu ato bellach, er na sylwodd ef arnaf fi ynghanol y twr o bobl ifainc clebrog i'r dde ohono. Ond deuwn i i'w weld ef yn gliriach bob munud. Gwelais y *profile* cyfarwydd, y pen ardderchog y cofiais ei gymharu rywdro â'r ddelw efydd honno o Mahler yn y Tŷ Opera yn Vienna. A dyna'r trwyn, ie, yn bendant Iddewig, ond yn un bach digon siapus! A dyna'r rhychau ar ei dalcen. Gallwn fod wedi tynnu eu llun ar bapur o'm cof – pob un ohonynt! A'i wallt cyrliog – er sylwi iddo ddechrau cilio o'r talcen hardd, gwyddwn sut y teimlai rhwng fy mysedd. Beth oedd yn bod arna i? Nid rhyw ddyn dieithr oedd hwn o gwbl! Moritz oedd e!

Ac fel pe bai'r hen wefr yn ein cysylltu, fe'm darganfuwyd

innau yn y dorf y funud honno gan y llygaid tywyll, a gwelais y syllu petrusgar i'r pellter yn diflannu, a'r golau cyfarwydd yn eu llenwi. Dyma'r golau a newidiodd fy myd ddwy flynedd yn ôl, ac a'm cynhaliodd ar hyd y misoedd caled o ymdrech, gobaith a siom – i'w golli am ennyd wedi'r daith a ddechreuodd mor obeithiol ond a drodd yn rhwystredigaeth pur. Cyn bo hir mi fydden ni'n dau'n chwerthin wrth imi adrodd hanes cleber di-fudd y daith honno! Ond y funud hon yr unig beth o bwys oedd cydnabod mor ddisynnwyr fu meddwl, hyd yn oed am eiliad, fod unrhyw ddewis gennyf. Ni roddwyd imi unrhyw ail gyfle chwaith! Roeddwn eisoes yn rhedeg, fel y breuddwydiais ar ddechrau'r daith, i'w freichiau.

NADOLIG YR ALLTUD

Ni chododd Davies i frecwast fore'r Nadolig. Ni welai'r pwynt. Doedd dim eisiau bwyd arno ac yntau wedi yfed yn o drwm y noson cynt. Roedd ei ystafell yn ddestlus a glân, os braidd yn oer. O'i wely ni welai drwy'r ffenest ond awyr ddigon llwydaidd, a gwyddai pe codai i edrych drwyddi ar y lawnt fach dwt, y byddai niwl isel yn ei gorchuddio'n llwyr. Cystal felly aros yn y gwely a darllen ei Edgar Wallace.

Wrth droi i estyn am ei lyfr oddi ar y gadair, trawodd ei lygad ar y bocsiad o 'Newtown Pippins' a gafodd y bore cynt gan ferched y swyddfa. Chwarae teg iddyn nhw! Dim cwpons i brynu siocled iddo, mae'n siŵr, ond roedd yn golygu rhywbeth eu bod wedi sylwi mai'r afalau bach siarp, gwyrdd oedd orau ganddo, o'r ychydig ddewis oedd i'w gael amser rhyfel. Afalau coch, mawr, fyddai gan yr hen wraig ar y bwrdd wedi clirio cinio Nadolig, a'r rheini'n sgleinio am iddi eu rhwbio â chornel ei barclod; afalau, oren neu ddau, dêts a ffigys! Wel, dyna fo; cafodd hi fyw i oedran teg, a mynd yn sydyn – dim ysbyty, fel y dymunai pawb pe caent eu dewis. Rhaid peidio â phitïo gormod.

Ymestynnodd i'r bocs am afal a'i rwbio â llawes ei byjama. Wrth deimlo'r sudd yn glanhau ei geg o sorod y noson cynt dechreuodd feddwl y byddai cystal iddo godi bellach, a chymryd ei amser i wisgo amdano. Fe wisgai ei siwt orau, fel pe bai gartref – y trowsar streip, côt a wasgod ddu, a chrys gwyn, glân. Wedi'r cwbl, nid oedd yn Nadolig bob dydd!

Wrth siafio fe'i cafodd ei hun yn canu 'Calon Lân'. Roedd y llais yn dal yn eitha, os oedd y gôt a'r wasgod wedi tynhau amdano. Er craffu'n fanwl yn y drych ni welai'r un blewyn brith yn ei wallt du, trwchus. Rhoddodd dipyn ecstra o Brylcreme arno er mwyn i'r sglein bara weddill y dydd.

Sylwodd fod aroglau hyfryd yn codi i fyny o'r gegin. Llety da oedd hwn, glân a chysurus, gyda'r fantais arbennig fod gan wraig y tŷ berthnasau yn ffermio yn yr ardal, a chwarae teg, caent oll fel lodjars fwy o lawer na'u lwfans dyladwy ganddi.

Roedd Phyllis, fel ei mam, yn gwrtais iawn bob amser. Saeson, wrth gwrs, ond beth arall oedd i'w ddisgwyl ym mherfeddion Lloegr? Rhyw ddiffyg cynhesrwydd – ddim yn dallt pethau! Ond roedd croeso iddo ganu'r piano pryd y mynnai. Tebyg mai hynny a ddisgwylient wrth Gymro; a dyna'r pryd y deuai'r teulu agosaf ato. Medrai blesio'r ferch â miwsig Ivor Novello a Mantovani. Ymhyfrydai yn ei ddawn i godi unrhyw dôn a'i chwarae wrth ei glust – o leiaf yn ddigon da i'r rhain beidio â sylwi ar ryw fân frychau! Doedd ganddyn nhw ddim gwrthwynebiad i ambell emyn chwaith. Byddai'n dechrau gyda 'Abide With Me' neu 'Lead Kindly Light', ac yna medrai lithro i emynau Cymraeg heb iddynt sylwi! Heddiw fe âi at y piano'n syth; rŵan, cyn cinio. Gallai neb warafun carol neu ddwy ar fore'r Nadolig!

Efallai y câi ymuno â'r teulu yn y gegin wedyn. A hithau'n ddydd Nadolig doedd bosib y gadawent ef i fwyta ar ei ben ei hunan yn y parlwr, fel y gwnâi ar y Suliau pan âi ei gyd-weithwyr priod adref at eu teuluoedd – fel rŵan.

Cododd ei galon pan gyrhaeddodd y parlwr a gweld y bwrdd wedi ei osod ar gyfer tri. Roedd wedi anghofio i'r Hwntw ifanc fethu a chael *leave* wedi'r cwbl, ac iddo fynd i Lundain ddoe i gwrdd â'i wraig a'i dwyn hi yma am rai dyddiau. Mae'n siŵr eu bod nhw'n dal yn eu llofft! Fe ganai ef y piano nes deuent i lawr.

'Llais bariton gwych, Mr Davies!' meddai'r gŵr ifanc pan ddaeth drwy'r drws. 'Gadewch i mi gyflwyno fy ngwraig, Mair, i chi!'

Wedi rhai sylwadau cyffredinol am eu gwahanol ardaloedd yng Nghymru a pheth profocio am eu tafodieithoedd gwahanol, ymunodd y tri o gwmpas y piano i ganu'r hen garolau Cymraeg cyfarwydd. Pan ofynnodd Davies a fyddent yn fodlon canu 'Tros Y Garreg', curodd y ferch ei dwylo.

'Pam lai? Hyfryd meddwl am yr haf ynghanol y gaea, ac am fynd tua thre, i'n cynefin.' Canodd y tri y gân henffasiwn gydag arddeliad.

'Byddai Mam a minnau'n ei morio hi yn canu honna bob haf,' ebe Davies. 'Bron imi anghofio na fydd hi ddim "ar y mynydd" mwy, "draw yn pwyntio ataf fi".'

'Newydd ei cholli hi, y'ch chi?' holodd y ferch a'i chalon yn suddo, gan wybod mai hi fyddai'n gorfod llywio'r sgwrs bellach, gan mor atgas gan ei gŵr gyfnewid ystrydebau am deimladau pobl. Ond fe deimlai hi drueni mawr dros yr hen lanc yn ei hiraeth am ei fam a'i wlad, er prin y medrai hithau wneud mwy na mynegi cydymdeimlad yn ddigon arwynebol. Ond roedd hynny'n hen ddigon i Davies.

'Poenodd hi lawer nad oeddwn "wedi gneud fy nghartra", chwedl hithau. Mi fyddai wrth ei bodd â chi'ch dau, a 'ngweld i'n wirion! Ond chafodd hi 'rioed le i ofidio amdanaf am ddim arall, cofiwch! Roedd hi mor ddiolchgar na fu'n rhaid imi fynd i'r hen ryfal yma, fel y bu'n rhaid i 'Nhad fynd, a cholli ei fywyd, yn yr un cynt. Ia, chwara teg iddi, gweithiodd yn galad i'm codi i a rhoi ysgol i mi. Gwnïo y byddai hi, i bawb yn y pentra, ac anghofio dylad llawar un! Ond daeth pawb at ei gilydd ddydd y cynhebrwng i roi *send-off* go iawn iddi. Te, siort ora, yn y festri gan y merchaid – yn union fel y byddai hi wedi lecio.'

'Ry'ch chi am gadw'r cartre?' holodd y ferch er mwyn torri ar y llif atgofion, a hithau'n ymwybodol o anghysur ei gŵr, yn rifflo drwy'r copïau ar ben y piano.

Trwy lwc, wrth i Davies ddechrau ymhelaethu am barodrwydd rhyw gyfnither i brynu'r tŷ am bris digon teg, ond na fedrai ef feddwl am waredu'r hen ddodrefn, daeth Phyl i mewn â'u cinio. Os nad oeddynt i'w hystyried yn rhan o'r teulu, rhoddwyd iddynt y darnau gorau o'r twrci, a digonedd o lysiau, a phwdin. Gwerthfawrogwyd y wledd flasus gan y tri, a chlodforodd Davies eu lwc o fod yn rhydd i siarad Cymraeg â'i gilydd – ddim yr un dafodiaith, ond yn deall ei gilydd i'r dim. Gadawsant hwythau iddo'i fwynhau ei hun yn sôn am ei yrfa fel peiriannydd trydanol, wrth ei fodd cyn y rhyfel yn gweithio yng Nghaer – yn ddigon agos i bicio adre'n handi, a digon pell i fyw ei fywyd ei hun! Digon o Gymry yno, ymuno â'r Côr Meibion, byth yn ei wthio ei hun, ond bob amser yn barod i chwarae ei ran. A dyma'r hen ryfel 'ma! Digon o waith iddo fo a'i siort, wrth godi adeiladau at iws y llywodraeth yma a thraw, byth yn gwybod i ble y câi ei ddanfon nesa. Dim cyfle i ddod i nabod pobl yn iawn a gwneud pethau gyda'i gilydd, i fod yn un o gwmni â'r un diddordebau.

Erbyn i Phyllis ddod i glirio'r bwyd ac i'r ddau ddyn danio eu sigaréts, roedd anesmwythyd i'w glywed yn llais Davies. Ond tipyn o syndod oedd ei gwestiwn nesaf i'r ddau.

'Beth yffarn allwn ni ei wneud am weddill y dydd yn y lle anial hwn?'

Holai mewn gwylltineb; yna, mewn gobaith y gellid parhau'r hwyl a gawsant gyda'i gilydd o gwmpas y piano a'r bwrdd, awgrymodd eu bod ill tri yn mynd gyda'i gilydd i'r Fox and Hounds, lle bu'r noson cynt am rai oriau.

Y gŵr ifanc a atebodd y tro hwn.

'Er gwaetha'r llwydrew a'r nudden ddiflas dros bob man, mae o leia'n bnawn sych. Ry'n ni'n bwriadu cerdded dros y caeau i gyfeiriad cartre John Bunyan. Buon ni mewn oedfa yn ei Dŷ Cwrdd Coffa y bore 'ma, ond teimlo'r oedden ni, yntefe Mair, fod rhaid chwilio'r tu hwnt i'r drysau pres crand hynny i ga'l gaf'el yn y tincer a'i neges. Mae croeso i chi ddod gyda ni.'

'Ie, dewch gyda ni, Mr Davies, fe wnaiff wâc fach les i ni i gyd ar ôl y cin'o mowr 'na!' Ceisiodd Mair roi mwy o gynhesrwydd i awgrym ei gŵr.

Ond ni fynnai Davies glywed am y fath beth! 'Fi'n cerdded? Chofia i ddim pryd y bûm i allan am dro yn y wlad! Ddim ers dyddia ysgol, ma'n siŵr gen i!'

Ceisiodd Mair liniaru rhywfaint ar ei deimladau siomedig.

''Sdim car wedi bod gyda ni, chi'n gweld, ac ry'n ni wedi arfer â cherdded.' Gwelai ei gŵr yn gwgu ac ofnai iddi drio'n rhy galed. Ond nid oedd angen iddi boeni. Roedd Davies yn dechrau sylweddoli bellach fod mwy na thafodiaith yn eu gwahanu. Ceisiodd guddio'i siom â gwên.

'Na, chwara teg! Ma'ch amsar chi gyda'ch gilydd yn ddigon prin. "Two's Company", wedi'r cwbwl.' Ac wrth ddweud y geiriau gallai eu dychmygu yn cerdded law yn llaw dros y caeau, gan freuddwydio am eu cartref – ryw ddydd – wedi'r rhyfel. Ac yntau ddim yn gweld dyfodol o gwbl iddo ef yn ei gartref mwyach!

Wedi i'r ddau adael y tŷ am eu wâc, bu Davies yn procio'r tân, yn smocio un ffag ar ôl y llall, ac yn cael fawr o afael ar ei Edgar Wallace. Daeth Phyllis i mewn i roi glo ar y tân, gan broffwydo na fyddai'r lleill yn hir cyn dychwelyd, gan oered y tywydd y tu allan. I'w chadw hi i siarad holodd am ei hymwelwyr, a chlywed mai'r ewythr a'r fodryb o'r fferm oedd yno, ac yn aros dros nos i fwrw'u blinder ar ôl paratoi'r gwyddau a'r tyrcwn ar gyfer y farchnad Nadolig. Dim gair o wahoddiad iddo ef ymuno â'r cwmni yn y gegin! Sut un oedd yr ewythr tybed, yr unig ddyn ymhlith yr holl ferched! Rhyw Sais penuchel, debyg, yn gwybod popeth.

Trodd ei feddwl yn ôl at y cwpwl o Gymru. Wedi bod yn capel yn y bore! Dyna fyddai ei fam wedi hoffi iddo yntau ei wneud. Ond chafodd y rhain fawr o fendith yno chwaith. Ddim yr un hwyl ag mewn oedfa Gymraeg, mae'n siŵr; canu diflas, peth tebyca, organ grand neu beidio! Go drapia nhw! Byddai'n well iddo fo pe na fyddent yn Gymry! Dim ond cyffroi ei hiraeth a wnaethant. Edrych ymlaen at y dyfodol oedd y rhain. Wrth gwrs roedd hwnnw'n reit ansicr. A gâi o ei ddanfon dros y dŵr, tybed? Bu yntau'n reit ddifeddwl yn sôn am ei dad gynnau ... Diflas arni hithau, peth bach, ynghanol y bomio tua'r De acw ... Rhaid eu bod yn poeni am ei gilydd! O leiaf nid oedd ef yn atebol am neb, nac i neb, bellach. Erbyn meddwl roedd rhyw fath o ollyngdod yn hynny hefyd, er gwaetha'r gwacter. Taniodd sigarét arall ac ailgydiodd yn ei lyfr. Nid oedd wedi darllen ymhell cyn iddo glywed cnoc ar y drws ac yna fe'i hagorwyd gan ŵr canol oed goleubryd, het frethyn ar ei ben a mac drom amdano.

'Mr Davies, isn't it? All on your own-io?'

Eglurodd mai ef oedd y brawd yng nghyfraith, wedi syrffedu ar gleber y merched yn y gegin, ac am fynd am dro i weld ei ffrind a gadwai'r Fox and Hounds. Efallai yr hoffai Mr Davies ymuno ag ef?

Neidiodd Davies ar ei draed i ysgwyd llaw yn eiddgar.

'Delighted to meet you! Fox and Hounds it is!'

A rhedodd i fyny'r grisiau i nôl ei dop-côt, gan ganu

'Rhagluniaeth fawr y Nef,
Mor rhyfedd yw ...'

Dychwelodd y pâr ifanc wedi rhynnu o'u wâc drwy erwau o fresych a betys a dduwyd gan rew.

'Wel, am wlad ddigalon,' cwynai hi. 'Dim bryncyn yn unman i dorri ar yr undonedd, a'r oerfel yn gaf'el ymhob cymal a gewyn.'

'Paid â chonan! Dyma'r lle i ni'n hunain, a thanllwyth o dân. Beth mwy allen ni ofyn amdano?'

'I ble'r a'th Dafis Bach, 'sgwn i?'

'Llymeitian, beth tebyca.'

'O diar! Gallen ni fod wedi trio'n galetach i'w ga'l e' i ddod gyta ni.'

'Cariad, daw e'n ôl yn ddicon clou, ac fe ganwn gân neu ddwy rownd y piano gytag e 'to. Do's dim mwy y gallwn ni ei wneud drosto. Rhaid iddo'i sorto'i hunan mas rywsut. Dylai fod wedi gwrando ar ei fam a chwilio am wedjen 'slawer dydd! Nawr anghofia fe! Dere di yma ata i, a pheidia di â meddwl am yr un dyn arall!'

Ac wrth wneud yn fawr o'u cyfle i'w mwynhau eu hunain o flaen y tân, anghofiwyd yn llwyr am Davies, nes i Phyl sôn wrth osod swper, nad oeddynt yn debyg o'i weld y noson honno; i'w Uncle Bert ei arwain ef ar ddisberod – 'astray', chwedl hi – a'i fod wedi mynd yn syth i'w ystafell, yn sâl fel ci.

Bore trannoeth nid oedd neb yn disgwyl gweld Davies wrth y bwrdd brecwast, ond yn ei lofft roedd wedi hen ddod ato'i hun, un arall o'r afalau bach wedi ei helpu i glirio adflas y noson cynt. Wedi ymolchi a siafio gwisgodd ei siwt ail-orau, a brwsiodd y llall a'i rhoi wrth y ffenest i awyru. Wrth agor y ffenest syllai ar yr ardd aeafol islaw, heb ei gweld.

Roedd ei waith yn tynnu at y terfyn yma, dim mwy na rhyw fis eto, yna câi ei symud ymlaen. Doedd dim gwahaniaeth ganddo i ble, waeth un lle fwy nag arall. Ac ar ddiwedd y rhyfel, os byth y gwelid hynny, byddai digon o alw amdano ef a'i siort wrth ail-adeiladu wedi'r holl chwalu a difrodi. Bryd hynny fe chwiliai am le gyda ffyrm fawr mewn dinas fawr – Lerpwl neu Lundain – ia, Llundain fyddai orau bellach, ac yntau wedi dod i nabod y pen yma o'r wlad mor dda. Digon o Gymry yn Llundain, o bob siort; câi ymuno â chôr meibion eto! Digon o gwmni ... dyna'r oedd arno'i angen. Cwmni! Ni fyddai'n gofyn gormod wrthynt, dim ond cyd-weithio'n hapus gyda'i gilydd, a mwynhau y foment! Cymryd pethau fel y doent – peidio â chlandro gymaint!

Clywodd Phyl yn gweiddi fod cinio'n barod. Cystal iddo fynd i lawr a'u hwynebu nhw oll.

''Sdim amser am gân fach nawr, Mr Davies,' meddai Mair, gan geisio bod yn naturiol ac yn serchus, 'ond wedyn, falla?'

Prin y gwnaeth Dafis Bach gyfiawnder â'r twrci eildwym, a phrin oedd ei sgwrs nes iddo wthio'i blât pwdin o'r neilltu a dech-rau siarad o ddifrif â'i gyd-Gymry.

'Rwyf am i chi wybod 'mod i wedi penderfynu gwerthu'r hen gartra i 'nghyfnithar. 'Da'i byth yn ôl yno eto. Roeddwn i'n gwybod hynny ond yn gwrthod cydnabod. Ar ddiwadd y rhyfal mi chwil-iaf am waith yn Llundan, lle bydd digon o Gymry, a chyfla i gym-deithasu – corau a chyngherddau, ac ati. A waeth iddi hi, 'nghyf-nithar, ga'l y petha hefyd – hynny a fynn hi – a gofyn iddi werthu'r gweddill drosof.'

Arafodd y llif geiriau, fel pe bai'n disgwyl i'w gyd-letywyr geisio'i ddarbwyllo, ond gan na wnaethant, aeth ymlaen yn herf-eiddiol ei dôn,

'Be gythgam wna i â'r hen gloc mawr, a'r dresal, ac ati, a minna'n symud fel bydd gwaith yn galw? Byddan nhw'n fyw yn fy nghof, yr un fath â'r hen wraig ei hun. Ma'n nhw oll wedi chwara rhan rhy bwysig yn fy mywyd imi byth eu hanghofio. Byddan nhw yno yn y cof o hyd, ac am byth.'

'Wel, ma'n amlwg i chi roi ystyriaeth fanwl i'r mater,' meddai'r gŵr ifanc yn araf, gan glirio'i wddf cyn mynd ymlaen. 'A braf, mae'n siŵr, yw dod i benderfyniad ar ôl bod mewn penbleth.'

Roedd Mair ymhell o fod mor siŵr, wrth feddwl am yr oriau tymhestlog a dreuliodd Dafis dros y Nadolig.

'Do's dim rhaid i chi benderfynu nawr, ar frys, o's e? Beth am aros i weld shwd fyddwch chi'n teimlo erbyn yr haf, a rhoi mwy o amser i'ch hunan?' Roedd ei chydymdeimlad yn amlwg.

'Go drapia chi!' oedd ymateb chwyrn Davies, gan godi ar ei draed mewn tymer a gwthio'i gadair yn ôl o'r bwrdd.

'Mae'n O.K. i chi feddwl am y dyfodol! Ond does yna ddim cymhariaeth â'm hachos i – dim o gwbwl.'

Trodd ar ei sawdl, rhuthro allan o'r ystafell yn wyllt a charlamu i fyny'r grisiau. Dihangodd y pâr ifanc i'w llofft, cyn i Phyl ddod i glirio'r llestri. Nid oeddynt yn siŵr pa un ohonynt fu fwyaf cyfrifol am dramgwyddo. Yn y man aethant i'r pictiwrs i geisio anghofio'r cynnwrf. Ar eu ffordd adref dechreuodd Mair ddyfalu sut groeso a'u harhosai gan Dafis Bach.

'Fydd e ddim yno, gei di weld. Mae e yn y Fox and Hounds ers oria,' proffwydodd ei phriod.

Ac fe gawsant yr ystafell iddynt eu hunain nes i Phyl ddod â'u swper, a rhoi'r newydd iddynt fod Mr Davies wedi gorfod mynd i Gymru'r pnawn hwnnw ar frys at ei gyfnither – rhyw neges sydyn, mater na ellid ei ohirio – ac a gymerai rai dyddiau i'w setlo. Ond cyn mynd gadawodd bocsiad o afalau i'r ddau, i'w mwynhau dros eu gwyliau, gan ofyn i Phyl eu cyflwyno iddynt gyda'i ddymuniadau gorau.

GALW WRTH FYND HEIBIO

Mae'r cof am y tro hwnnw y gelwais i weld Doris mor ddifyfyr yn dal i'm hanesmwytho ar brydiau. Ar fy ffordd adref o'r ysgol roeddwn y pnawn hwnnw o Fedi, yn ôl yn amser rhyfel. Roeddwn i wedi bod i ffwrdd am ryw bum wythnos ym mherfeddion Lloegr, lle roedd fy ngŵr yn swyddog yn y fyddin, cyn iddo gael ei ddanfon dros y dŵr. Roeddwn yn ôl wrth fy ngwaith fel athrawes bellach, a'r diwrnod hwnnw yn teimlo 'mod i'n dechrau cael gafael ar bethau eto. Cofiaf feddwl wrth gerdded adref mor bert oedd yr hen gwm o hyd. Cyn bo hir byddai'r rhedyn yn troi'n rhwd ar y bryniau; roedd dail y coed yn dechrau troi'u lliw, ond ymhell o syrthio eto, ac roedd gwres yn dal yn yr heulwen. Cystal gwneud y gorau o bethau!

Wrth ddod i olwg y siop, cofiais i Mam sôn fod Doris wedi gwaelu dipyn yn ystod yr wythnosau diwethaf a'i bod yn cadw i'r gwely. Roedd hi siŵr o fod yn tynnu am ei hanner cant, tybiais; ddim yn hen, ychydig yn iau na Mam. Cafodd fywyd reit braf, gwisgo'n smart, gŵr golygus ganddi – rhy hen i gael ei alw lan – dim plant, ond gwyliau braf bob blwyddyn, yn Bournemouth neu Torquay; car mawr ganddyn nhw, a chyn y prinder petrol yn medru mynd i'r Mwmbwls neu Borthcawl ar bnawn rhydd, ac weithiau ar y Sul yn yr haf, er mawr ofid i'r gweinidog a dicter i'w wraig.

Penderfynais y dylwn alw i'w gweld a minnau wedi bod oddi cartref cyhyd. Gwyddwn y byddai'n falch o'm gweld, ac mi fyddai'n gyfle i minnau sôn amdanom ni'n dau mewn ffordd na fedrwn siarad â Mam. Felly y dechreuodd yn ddigon difyfyr ymweliad nad anghofiaf i byth, ac er ei anesmwythyd na fynnwn am y byd fod wedi ei golli.

Ar ôl cael gair gyda Jac, ei gŵr, es i drwy'r siop i'r ystafell ganol lle'r oedd yr hen ŵr, ei thad yng nghyfraith, yn pendwmpian wrth y tân, a gan ddilyn ei gyfarwyddyd, ymlaen â mi i'r parlwr. Bellach roedd yn ystafell wely i Doris, ac fe'i lluniwyd ar ddelw *boudoir* un o sêr y ffilmiau. Nid dod â chelfi'r llofft i lawr, yn ôl arfer gyffredin yr ardal ar amgylchiad o'r fath, ond prynu popeth yn bwrpasol i'r galw, rhyfel neu beidio. Cofiais eiriau ei diweddar fam yng nghyfraith nad oedd dim ond y gorau yn gwneud y tro i Doris, ac nad oedd dim yn rhy grand iddi.

A dyna lle'r oedd hi nawr, papur pinc sgleiniog ar y wal, celfi mawreddog o bren Ffrengig o'i chwmpas, llenni damasg pinc yn hongian yn urddasol bob ochr i'r ffenest, a nets patrymog yn glòs i'r gwydr i'w chuddio hi o olwg y byd a basiai heibio mor agos ati ond yn rhy bell iddi hi allu gafael ynddo mwy. Synnais i'w gweld hi mor fach, ar goll bron yn y gwely mawr dwbwl gyda'i bentwr o glustogau ffriliog, ac *eiderdown* pwfflyd wedi ei grynhoi'n daclus i odre'r gwely, i ddangos fod y gwrthban hefyd o'r un sidan pinc golau yn matsio i'r dim. Roedd Doris druan hefyd wedi ymbincio, a'r lliw ar ei gruddiau, allan o flwch, ddim ond yn tanlinellu melynder y croen. Ac mor ddwfn y syrthiodd y llygaid yn ôl i'w phen! Ond roedd ei gwallt yn donnau disgybledig a'r cylch o *swansdown* ar ymyl ei siaced wely yn helpu i guddio'r rhychau ar ei gwddf.

Roedd yn wirioneddol falch o'm gweld, a gobeithiaf i minnau lwyddo i gelu oddi wrthi gymaint o siom a gefais o'i chael hi mor guriedig.

'Tynnwch gadair lan inni gael *chat* fach!'

Byrlymais innau hanes fy arhosiad yn Lloegr. Mynnai hithau siarad, er bod ei llais yn wan, gan holi fy marn am y celfi newydd. Ymestynnodd o ddyfnder sidanaidd y gwely focs o siocled a oedd ymhell ar ei hanner. Nid siocled amser rhyfel, ond o ryw hen stoc, gyda llun Siôr V ar y clawr, ond roeddynt wedi cadw'n berffaith, fel y profais. Wrth dwrio amdanynt dinoethodd Doris fwndel o ffwr – wel, siop ddillad oedd ganddynt – ac i'm mawr syndod, pan gododd Doris ef i'w chôl, gwelais mai'r Pekingese lleiaf posibl ydoedd, a rhuban pinc llachar am ei wddf.

'Dyma 'mabi i,' meddai. 'Dyma Ffiffi.'

Ni fu gen i fawr i'w ddweud wrth gŵn erioed, ond hwn oedd yr un mwyaf di-ddim a welais eto, ond rhaid oedd ceisio ei ganmol, gan ddiolch yn fy nghalon fod rhywbeth ar gael i'w diddanu. Prin fod Mam wedi 'mharatoi i ddigon i'w chanfod hi fel hyn! Doris a fu bob amser mor llon ei hysbryd, gan gymryd popeth yn ysgafn – ac eto onid yn ysgafn y cymerai bopeth o hyd? O edrych ar y ci a'r siocled a'r holl ymbincio, tybiais nad drwg o beth, efallai, oedd bod yn arwynebol mewn sefyllfa fel hon. Beth pe bawn i yn ei lle, ai llefain fel babi a wnawn, neu chwerwi gymaint nes gwrthod gweld neb ond fy nheulu a'r doctor – a'r gweinidog, efallai? Yn sicr, dim teganau gwael y llawr, megis ci da-i-ddim, a siocled, i mi!

Roedd Doris ar ganol rhyw stori hir, ddoniol – yn ei barn hi – am gymdoges a syrthiodd mewn cariad â rhywun crand ar fordaith i'r Môr Canoldir yr haf y torrodd y rhyfel allan, ac a gafodd amser ei bywyd gydag ef, hyd yn ddiweddar pan ddatgelodd y fyddin fod ganddo wraig yn barod. 'A dyna ddiwedd ar y rhamant a'r holl frags!' meddai â blas, a'r chwerthiniad uchel a oedd mor nodweddiadol o Doris yn ei chryfder. Ond y tro hwn profodd yn ormod i'w nerth, a throdd y chwerthin yn bwl o beswch a'i trechodd am rai eiliadau. Wrth imi geisio'i chodi'n uwch ar y gobenyddion crand, daeth tawch pydredd i'm ffroenau, yn treiddio drwy'r holl *Soir de Paris* a'i hamgylchynai. Cymerodd eiliad i mi orchfygu'r atgasedd a deimlwn, a'i droi yn dosturi, nid yn unig at Doris ond at holl deulu dyn.

Eisteddais eto, 'dim ond am eiliad', dywedais, gan gymryd siocled arall i adfer fy nerfau. Ni fedrwn ei gadael nes bod yn siŵr nad oedd pwl arall o beswch ar y ffordd. Ond cododd ar ei heistedd yn y gwely a dechrau fy holi sut gôt aeaf y bwriadwn ei chael eleni. Cwynais fod yr hen gwpons yn brin, yn bennaf er mwyn gohirio trafod mater nad oeddwn am ei ystyried. Roedd yr arian yn brinnach na'r cwpons, a dweud y gwir, a minnau wedi gwario cymaint ar y G.W.R. wrth deithio i Loegr bob cyfle a gawn.

'Peidiwch â gadael y cwpons i flino dim arnoch,' ebe Doris. 'Cewch chi rai *Father in law!* Mynnwch gôt wyrdd tywyll â choler mawr *moleskin*. Dyna fydd *all the rage* eleni.' Twriodd i mewn i bentwr o lyfrau ffasiwn y tu draw i Ffiffi, ond cyn iddi gael gafael ar yr hyn a geisiai, dyma'r *father in law* bondigrybwyll yn sefyll yn y drws.

'Mrs Hughes y Gweinidog sy 'ma, Doris, wedi dod i'ch gweld. Gwell iddi ga'l dod mewn, yntefe?'

'Nagw i'n mo'yn ei gweld – hi o bawb! Sawl gwaith wy' wedi dweud hyn o'r bla'n?'

'Ie, rwy'n gwbod, 'merch i, dyna pam rwy'n eich rhybuddio chi ei bod hi yn y siop – ac ar ei ffordd!' Ciliodd yr hen ŵr, gan adael cwmwl o Shag ar ei ôl.

'Mi af i 'te,' meddwn innau, gan godi ar fy nhraed.

'Sefwch chi lle'r y'ch chi,' atebodd Doris yn reit siarp, a'i llygaid yn llosgi fel cols yn ei phen. 'Sefwch 'da fi yn gwmni!'

''Dy'ch chi ddim yn ei leico hi 'te? Rown i'n meddwl eich bod chi'n dipyn o ffrindiau – tua'r un oed – ynghanol yr holl hen wragedd 'na yn y capel.'

Ni bu amser iddi ateb cyn i Mrs Hughes ddod i mewn i'r ystafell, yn ffigwr bach twt mewn nefi-blw o'i het i'w hesgidiau, golwg dosturiol ar ei hwyneb a basged fach wellt ar ei braich. Gwyddwn bron i sicrwydd mai *jam sponge* oedd yn y fasged, oherwydd dyna fyddai ei harfer wrth ymweld â chleifion yr eglwys. Gwyddai Doris hynny hefyd, a bu'n ddigon i'w chynhyrfu.

'Gallwch fynd â'ch *sponge* tua thre, Mrs Hughes, thenciw fowr. Mae Elin 'da fi i ofalu am bopeth fel'na.'

Anwybyddodd Mrs Hughes ergyd yr awgrym a dweud y gadawai'r parsel bach gydag Elin yn y gegin ar ei ffordd mas. Mrs Hughes yn 'ymarfer gras', meddyliais wrthyf fy hun, a chwarae teg iddi. Ond profodd ymddygiad proffesiynol gwraig y gweinidog yn ormod i Doris pan aeth hi ymlaen i holi'n deimladol sut roedd Doris yn cysgu'r nos.

'Gan 'ych bod chi wedi dod 'ma,' meddai, gan ymdrechu i godi ar ei heistedd nes peri i Ffiffi riddfan, 'gallwch fynd ar 'ych glinie a gweddïo.'

Wn i ddim ai fi neu Mrs Hughes a synnodd fwyaf!

'Ie, gweddïo, wedes i. Ry'ch chi'n gallu ei wneud yn nêt yn y festri ar nos Fawrth. Wel dyma'ch siawns chi nawr; fan hyn a nawr mae ei eisie, os bu eisie erio'd! Gofynnwch i Dduw pam mae e mor greulon, yn fy nhorri i lawr pryd gallwn i a Jac fod yn enjoio'n hunen am flynydde. Beth wy' i wedi'i wneud i haeddu hyn?'

'O, peidiwch ag ypseto'ch hunan, Doris fach,' atebodd Mrs Hughes yn ffyslyd. 'Mae'n anodd i ni ddeall pethe, ond Fe sy'n gwbod.'

'Peid'wch â bod mor hurt, fenyw!' gwaeddodd Doris. 'Nonsens dwl yw'r cwbwl, a dyn'on ifancach na fi yn ca'l eu lladd bob dydd. Shwd Dduw yw hwnna, e?'

Doedd dim angen i mi ddweud dim. Nid apeliodd yr un ohonynt, drwy lwc, ataf fi. Ond roedd fy meddwl innau'n rhasan. Sut yn y byd y methais i weld yr ing o dan y gwag siarad gynnau fach?

'*Go on*, ar 'ych glinie,' meddai Doris, 'a gofynnwch i'ch Duw chi a o's ganddo ryw oleuni i ni ar ei amcanion.'

Er fy syndod ufuddhaodd Mrs Hughes, heb air pellach, gan benlinio wrth ochr y gwely. Tybiais mai Gweddi'r Arglwydd a gaem ganddi efallai, ond rhaid bod yr holl gyrddau gweddi wythnosol hynny wedi aeddfedu i'w cynhaeaf y pnawn hwnnw gan roi huodledd annisgwyl i wraig y gweinidog. Ymbiliodd am oleuni a chysur nid yn unig i Doris, a fagwyd yn sŵn yr Efengyl, ond hefyd i bawb a oedd yn dioddef, rhai ohonynt heb y fraint o wybod am yr Iesu a ddioddefodd ei hunan yn ifanc, ond o'i wirfodd, er mwyn dangos i ni y ffordd i fyw yn iawn yn yr hen fyd amherffaith hwn, sy mor llawn o ddioddefaint ac anghyfiawnder.

Pan fentrais i bipo gwelais fod llygaid Doris ar gau, a phan welais hi'n plethu ei dwylo curiedig, es innau ar fy ngliniau hefyd. Ac er mai Mrs Hughes a weddïai mewn geiriau, gan ddyfynnu'n helaeth o'r Salmau a'r Llyfr Emynau, roeddwn innau'n gweddïo'n drwsgl yn fy nghalon, i 'nghariad innau gael ei gadw'n saff, ac i'r hen ryfel ddod i ben. Pan orffennodd Mrs Hughes agorodd Doris ei llygaid.

'Thenciw fawr,' sibrydodd yn dawel wrth wraig y gweinidog a oedd yn ffwndrus sychu ei sbectol wrth godi ar ei thraed. 'Ie, gadewch chi'r *sponge* gydag Elin. Rwy'n siŵr y bydd hi'n neis iawn'.

Gwneud esgus i fynd wnes i wrth godi o'm gliniau; byddai Mam yn methu deall pam o'n i mor hwyr. Ond wrth gilio addewais alw eto cyn bo hir. Ac fe fûm i yno ddwywaith neu dair cyn iddi ddarfod, ond naill ai roedd Mam gyda mi, neu rywun o'i theulu hi yno. Ond hyd yn oed pe bawn ar fy mhen fy hun efallai na fyddai wedi cyfeirio at y pnawn hwnnw wedyn. Sut bynnag, diflannodd yr ysbryd hwyliog a'i chynhaliodd hi cyhyd, a throdd yn dawel ac amyneddgar – ei gwendid, efallai, wedi mynd yn drech na hi. Digon priodol oedd hysbysu yn y papur newydd i Doris 'farw'n dawel'.

Arhosodd y pnawn hwnnw'n destun y dychwelai Mrs Hughes ato byth a beunydd ar hyd y blynyddoedd pan oeddem ni'n dwy ar ein pennau'n hunain. 'Un ddrwg oedd Doris! Gwelsoch chi hi'n mwynhau fy rhoi i mewn twll! Ond doeddwn i ddim yn mynd i adael iddi wneud sbort o grefydd, os allwn i beidio. O, dyna un o'r adegau mwyaf anodd a ddaeth dros fy mhen erioed, a finnau heb gael cyfle i baratoi ymlaen llaw fel arfer.'

Rwy'n amau a oedd hi'n iawn am gymhellion Doris y diwrnod hwnnw, ond pwy wyf fi i farnu? Go brin y deallais innau hi chwaith.

Y PUMDEGAU

MEDI

Trodd Gwen Lloyd drwyn ei char oddi ar y ffordd fawr ac i mewn i'r arhosfa olaf cyn cyrraedd Eisteddfa Gurig.

'Dyna'r byd mawr i gyd y tu ôl i ni, a dim ond sir Aberteifi o'n blaen,' meddai'n uchel a nodyn gorchestol yn ei llais. Onid gorchest yn wir oedd gyrru'r Minor bach bob cam i Gaeredin ac yn ôl? Wrth gwrs roedd wedi torri'r siwrnai neithiwr yn Amwythig, rhag iddi deimlo'n rhy flinedig wrth gyrraedd adref, ac efallai nad gorchest ydoedd mewn gwirionedd, ond teimlai foddhad mawr o weld cynllun arall wedi ei gyflawni. Aethai'r haf heibio yn union fel roedd wedi ei bwriadu. Gwnaeth ei dyletswydd i'w rhieni drwy fynd â nhw i'r Eisteddfod fel arfer, a galwodd ar hen gyfeillion, gan ofalu gadael cyn iddynt gael amser i flino arni. Bu ar gwrs yn Rhydychen, darllenodd bapur i gynhadledd ym Manceinion, ac yna, i blesio neb ond hi ei hun, aeth i'r ŵyl yng Nghaeredin a chael blas anghyffredin ar y cwbl. A nawr dyma hi ar ei ffordd adref, yn cymryd hoe am funud cyn y disgyn troellog yn ôl i'w byd cyfarwydd ei hun.

'Chlywaist ti mono i'n siarad â ti?' Plygodd tuag at y ci a gysgai mewn basged ar y sedd yn ei hymyl. Cododd yr ast fach un glust, a gan synhwyro newid yn llais ei meistres agorodd lygaid duon, pŵl.

'Dere, Morag, dere,' ebe Gwen gan agor drws y car a chamu allan. Ymsythodd yn ddiolchgar i'w llawn daldra. Roedd y Minor ychydig yn fach i un mor dal â hi, ond roedd yn feistres arno bellach, ac ni fynnai wastraffu amser yn cyfarwyddo ag un arall.

'Fe wnaiff les i tithe, Morag fach, i 'mestyn dy goese. Dere,

dere!' "Nid oes gwmwl ar y grug, Nid oes gysgod ar y rhedyn." Rwyt ti'n mynd yn hen, Morag fach, ond o leia do's dim rhaid imi ofni y byddi di'n rhedeg ar ôl ceir, ragor.'

Gwibiai'r ceir heibio iddi, ar eu ffordd yn ôl i ddinasoedd canolbarth Lloegr ar ôl seibiant ar lan y môr yng Ngheredigion. Byddai'r rhan fwyaf ohonynt wedi mynd erbyn iddi hi gyrraedd y dref. Ni fedrai ddioddef Aber ym mis Awst. Newidiai ei gymeriad gymaint fel na fedrai fynd ymlaen â'i gwaith fel arfer. Ond teimlai mor gartrefol yma ar Bumlumon, a'r bore hwn yn un mor ardderchog – yr awyr yn las a dim ond ychydig o gymylau bychain gwlanog hwnt ac yma. 'Mis y porffor ar y ffriddoedd'. A oedd plant heddiw yn dal i ddysgu gwaith Eifion Wyn, tybed? Mae'n debyg iddi hi a'i chenhedlaeth gael eu codi arno am nad oedd ond newydd farw pan oedd hi yn yr ysgol. Efallai iddo gael ei ddisodli'n llwyr erbyn hyn, ond gobeithiai nad oedd. Roedd ei dyled hi iddo'n fawr, beth bynnag; daethai ei eiriau yn handi iddi hi ar lawer adeg i fynegi ei phrofiad.

Cymerodd un olwg arall o'i chwmpas cyn troi'n ôl at y car. Roedd y grug a'r eithin cystal â dim a welodd yn yr Alban – ac yn Ardal y Llynnoedd. Yn well, efallai, am y gwyddai y gallai ddod yn ôl i'w gweld pan fynnai, ac oherwydd hynny ni fyddai'n rhaid iddi ddod! Braf oedd bod mor siŵr o rywbeth fel nad oedd yn rhaid rhuthro i'w feddiannu! Braf hefyd oedd gwybod beth oedd rownd pob tro yn y ffordd, fel y gwyddai hi weddill ei thaith. Gwybod hefyd beth a'i disgwyliai ar ôl cyrraedd, y fflat ddestlus ar ganol y Prom, a'r wraig a weithiai iddi wedi rhoi sglein arbennig ar bopeth yn ei habsenoldeb. Efallai, meddyliodd, wrth godi Morag yn ôl i'w basged wrth yr olwyn, mai dyma'r funud orau oll o'r gwyliau – eu cael nhw drosodd yn llwyddiannus!

Gyrrodd yn hamddenol gan fwynhau, fel bob amser, ymdeimlad o ollyngdod wrth ddod drwy Fwlch Nant-yr-Arian. Disgleiriai rhimyn y môr ar y gorwel yn haul y bore. Cyn bo hir nawr byddai hi wedi parcio'r car ar ei lan, ac wedi cyrraedd adref.

Yn y fflat roedd popeth yn union fel y disgwyliodd. Mrs Morgan wedi golchi'r llenni, wedi rhoi tri rhosyn o'r ardd yn y gwydr glas ar ei desg, ac wedi gadael nodyn i'w sicrhau y byddai'n rhydd i ddod ati pryd y mynnai gan fod ei 'phobol ddiarth' wedi mynd adref. Diolch am hynny, meddyliodd Gwen, er nad oedd am weld Mrs Morgan na neb arall am ddiwrnod neu ddau. Wedi bod i mewn ac allan o dai pobl eraill, ni chwenychai ddim ond llonydd i fwynhau bod gartref, hi a Morag. Ar ei desg roedd pentwr o lythyrau a chardiau. Gwibiodd drwy'r cardiau lliw oddi wrth ffrindiau ar wyliau, a rhoddodd y catalogau llyfrau naill ochr. Roedd un llythyr wedi cyrraedd y bore hwnnw, oddi wrth ei thad, yn ei chroesawu adref, ac roedd yna hefyd ddau barsel ar y soffa. Y siwt y cawsai ei mesur ar ei chyfer yn y siop honno yn Princes Street! Torrodd y llinyn a rhuthro drwy'r papur sidan. O, roedd y brethyn hyd yn oed yn dlysach na'i chof amdano, yr union beth ar gyfer diwrnod fel heddiw, y glas a'r gwyrdd a'r porffor yn adlais o'r lliwiau a welodd y bore 'ma! Fe'i gwisgai yn union wedi llyncu tamaid o fwyd. Roedd yr un mor bles â chynnwys y parsel llai, er y cymerai hwnnw mwy o amser i'w werthfawrogi'n llawn – y llyfr newydd sbon ar Hölderlin a archebodd yn Rhydychen. Dyna rywbeth iddi gael ei dannedd iddo ar ôl te. Roedd yn amlwg na chyrhaeddodd proflenni ei llyfr newydd hi. Gorau i gyd! Fe gâi amser i setlo i lawr yn iawn cyn gorfod troi atynt hwy.

Erbyn iddi wneud pryd ysgafn a dadbacio teimlai iddi lwyr feddiannu'r fflat unwaith eto; nid oedd ôl Mrs Morgan mor amlwg arni, nac arogl ei chwyr mor dreiddgar. Ysgrifennodd air i sicrhau ei rhieni iddi gyrraedd adre'n saff ac y trawai i'w gweld cyn diwedd yr wythnos. Penderfynodd fynd â'r llythyr i'r post yn y dref, yn hytrach na'i daro yn y blwch gerllaw, er mwyn teimlo iddi ddod yn ôl i'r dref yn ogystal ag i'w fflat. Trodd mwy nag un i edrych gydag edmygedd ar y ferch dal, osgeiddig a'r gwallt rhuddgoch a gerddai mor sionc drwy strydoedd yr hen dref, a'i chi bach gwyn yn cael gwaith cadw i fyny â hi. Yr hyn a sylwai hi, â rhyddhad, oedd cyn lleied o bobl ddieithr oedd o gwmpas. Roedd tymor yr ymwelwyr drosodd am flwyddyn arall.

Wrth droi yn ôl am y môr penderfynodd fynd tuag at yr harbwr i gael anadliad dwfn o awyr Bae Aberteifi, ac i Morag gael ei gollwng o'i thennyn i redeg, neu'n hytrach i gerdded, yn rhydd. Synnodd fod yr awel o'r môr yn fain, a'r môr ei hun yn llwyd a llonydd. Diflannodd ohono'r ddawns a welsai yn heulwen y bore. Llwyd hefyd oedd yr ychydig dywod ar y traeth caregog, ac wrth droi'n ôl i wynebu'r castell, gwelai fod llwyd yr adfeilion yn gryfach na'r gwyrddlesni o'u cwmpas. Darfu'r bore grisial ac nid oedd porffor y ffriddoedd ond adlais yn y cof. Nid oedd neb yn cerdded ar y darn hwn o'r Prom ac nid oedd ond un car wedi'i barcio i'w berchennog gael syllu ar y môr. Dyma'r ychydig ddyddiau yn y flwyddyn, meddyliodd Gwen, pan oedd tref Aberystwyth yn eiddo i'w brodorion ei hunan – yr ymwelwyr wedi mynd a'r myfyrwyr heb ddychwelyd, a'r mwyn plwm yn cael cyfle i dynnu sylw ato'i hun, gan wneud y lle yn llwyd a llwm a gwag. Yn ôl felly i'r fflat a the, a Hölderlin.

Wrth nesáu at y car parciedig sylwodd fod Morag, a fu'n trotian o'i blaen, yn sefyll yn stond ar ganol y llwybr, wedi ei pharlysu gan ofn rhyw Dachshund bach gwisgi a gymerai ddiddordeb arbennig ynddi. Plygodd Gwen i roi'r tennyn yn sownd wrth goler ei chi.

'Dere di, Morag fach, mi awn ni adre ar unwaith nawr.'

Ar hyn agorwyd drws y car a chwibanwyd ar y Dackel. Ufuddhaodd i'w feistr bron ar unwaith a diflannodd i sedd ôl y car.

'Mae'n ddrwg gen i os tarfodd Kuno ar eich ci!' Saesneg a siaradai'r gŵr wrth yr olwyn, ond Saesneg ag acen gyfandirol drom.

Sicrhaodd Gwen ef fod Morag yn iawn, ond ei bod yn hen a braidd yn ofnus, ac ychwanegodd mor hyfryd oedd côt ei gi ef, na welem ni yma'n aml y math hwn o Dackel – â blew hir cyrliog.

Fel petai'n sylweddoli eu bod yn siarad amdano, gwthiodd Kuno ei drwyn allan drwy'r ffenest, ac ni fedrai Gwen lai na'i gyffwrdd. Yn hollol ddifeddwl dechreuodd ei ganmol yn Almaeneg.

'Rwy'n gweld eich bod yn siarad fy iaith i'n rhugl,' meddai ei feistr, yn yr un iaith. Cyfaddefodd hithau mai dyna oedd ei gwaith, dysgu'r iaith honno i fyfyrwyr. Pan holodd hithau ai ar ei wyliau ydoedd, tristaodd yr wyneb crychlyd, oedrannus cyn iddo ateb.

'Na, rwyf yn byw yng Nghymru ers llawer blwyddyn bellach. Doedd yna ddim lle i mi a Hitler yn Awstria ar ôl 1938.' Hanner-gwenodd wrth godi ei ysgwyddau i awgrymu fod yn rhaid plygu i'r drefn. 'A bellach nid oes neb ar ôl yno i'm denu yn ôl.'

Mewn tôn ysgafnach ychwanegodd, 'Ond yn wir rwyf yn caru eich gwlad. Mewn llawer ystyr mae'n debyg i'r ardal lle'm magwyd innau – ar wahân, wrth gwrs, i'r môr.'

Estynnodd gerdyn o'i boced a'i roi iddi.

'Gofalu am westy ydw i nawr, yn Llanffynnon. Fyddwch chi'n dod acw weithiau? Fe fyddai Kuno a mi yn falch iawn o'ch croesawu chi yno unrhyw amser.'

'Diolch yn fawr. Mi gofia i am hwn,' meddai, wrth roi'r cerdyn yn ei bag, 'ond mae 'ngwyliau ar ben am eleni, a rhaid imi setlo i lawr i baratoi gwaith y tymor. *Auf Wiedersehen*!' Ac ysgydwyd llaw mewn ffarwél.

Cerddodd Gwen ymlaen ar hyd y Prom gan gadw'i llygaid ar y môr, a'r hen ast fach yn gorfod trotian i gyd-fynd â hi. Wedi troi'r gornel allan o olwg y car, ac yn wir o olwg pawb, gan nad oedd neb ar y darn hwn o'r Prom chwaith, eisteddodd i lawr yn drwm ar un o'r meinciau, ei chefn at y Coleg a'i golwg ar y môr. Ond nis gwelai. Yn hytrach gwelai ei hun yn eistedd ar lan llyn yn yr Almaen bell, ac amdani fraich y gŵr a garai, ac a'i carai hithau.

'Yn wir rwyf yn caru eich gwlad.'

Tybed! Sut y medrai dyn o'i oed ef ymgartrefu mewn gwlad estron? Caru Cymru, heb wybod dim am ei hiaith, ei llên a'i thraddodiau?

Gwneud bywoliaeth roedd e'n feddwl! Hoffi, efallai, ond dim caru.

Iddew oedd hwn, roedd yn amlwg; roedden nhw fel cenedl wedi arfer â mudo'n sydyn ar hyd y canrifoedd, ac roedd rhyw nodwedd ryngwladol yn perthyn iddynt. Ond na, celwydd Goebbels oedd synied fel'ny! Ac onid oedd yr eglwys Babyddol hefyd yn croesi ffiniau? Ac oni fyddai hynny wedi helpu Max i setlo i lawr yma?

Na, dyna un o'r anawsterau mawr. Anhawster iddi hi, wrth gwrs. A dyna graidd y mater, yntefe? Meddwl am ei hunan wnaeth hi y pryd hwnnw, fel ar y funud hon. Chwilio am esgus i'w chyfiawnhau ei hun oedd credu na fyddai Max wedi gallu setlo i lawr yng Nghymru cystal â'r dyn yna a gwrddodd gynnau. Hi oedd yn ofni na châi'r un hapusrwydd yn ei gwmni yn ei gwlad ei hun ag a brofasai yn yr Almaen. Prin y byddai'r golled yn ormod iddo ef. O leiaf byddai'n fyw!

Eto, onid oedd yn rhy llawdrwm arni hi ei hun? Ni ddywedodd wrtho erioed na phriodai mohono. Oedi wnaeth hi, yn rhy hir. Ac roedd bai arno yntau am yr oedi. Llwyddodd hi i helpu cymaint o'u ffrindiau i ffoi. Galwodd i gof y teuluoedd hynny yn Llundain, Israel ac America a gadwai mewn cysylltiad clòs â hi. Ni osododd yr un o'r rhain delerau pan hysbysodd hwy am swydd neu drwydded; daethant ar unwaith, yn ddiolchgar, gan adael popeth.

Ie, ond nid rhyw ffrind oedd ef, ond llawer mwy. Yn y diwedd roedd hithau wedi crefu arno i ddod, dim ond dod, ac fe gaent setlo popeth wedyn. Ond na, roedd yn rhaid iddo yntau wneud ei safbwynt yn glir, yn ei ddull academaidd nodweddiadol, pan nad oedd amser i'w golli. Nid Trugaredd roedd arno'i angen, ysgrifennodd, ond Cariad. Nid oedd pwrpas iddo'i ddiwreiddio'i hunan o'i wlad heblaw fod ganddo Obaith i'w ailwreiddio'i hun yn nhir ei gwlad hi drwy eu perthynas â'i gilydd, a magu Teulu i wneud yr Uniad yn gyflawn!

Cofiai'r geiriau Almaeneg fel pe baent yn ddarn o lenyddiaeth y gofynnai i'w myfyrwyr ei gyfieithu. Roedd y llythyr hwnnw wedi ei rhoi hi yn ôl yn yr un sefyllfa ag ar lan yr Alpsee, Sul y Pasg 1938, pan ofynnodd iddi ei briodi, a hithau'n addo ystyried hynny'n ofalus. Ac fe'i hystyriodd, ac ystyried, heb ddod i benderfyniad cadarnhaol, er iddynt ddal i sgrifennu'n gyson – yr unig lythyron caru a sgrifennodd hi erioed. I ble'r aeth y misoedd hynny? Argyfwng Munich, Cyf-feddiant Prâg – gwyddai'r ddau ohonynt yn iawn arwyddocâd y digwyddiadau hynny. Roedd mwy o frys yn sefyllfa'r Iddewon wrth gwrs, ond gan fod gwrthwynebiad Max i amcanion a dulliau'r Natsïaid mor ddigymrodedd, a hysbys, roedd yntau mewn perygl. Pam, O pam, na fu hi'n fwy pendant, ymhell cyn y bore o Fedi 1939 a roddodd derfyn ar bob cysylltiad rhyngddynt, a thaw arno yntau yn fuan iawn? Sut yn y byd y gwastraffodd hi'r flwyddyn olaf honno? Nid ymddangosai ar y pryd iddi wastraffu munud ohoni! Roedd ei swydd yn y coleg yn newydd, roedd ei llyfr cyntaf yn y wasg. A beth fyddai ei thad wedi ei ddweud, ac yntau mor amlwg ymhlith Undodiaid gwaelod y sir, pe gwyddai fod ei unig ferch yn ystyried priodi Pabydd? Heddiw efallai, bymtheng mlynedd yn ddiweddarach, a'r sêl enwadol wedi gwanhau gymaint, gallai pethau fod yn llai annerbyniol.

Ond doedd dim iws mynd dros yr hen ddadleuon hyn nawr. Ystwythodd Gwen ei chorff a lledu ei hysgwyddau. Rhaid iddi ofalu na syrthiai fyth eto i'r dryswch y bu ynddo yn ystod yr wythnosau enbyd hynny ar ddiwedd y rhyfel, pan ddaeth ateb terfynol y Groes Goch i'w hymchwiliadau. Ymdrechodd i gofio sut y dringodd allan o'r pydew mawr. Beth oedd geiriau'r arbenigwr hwnnw yn Llundain?

'Disgyblaeth mor rheolaidd nes iddi droi'n drefn naturiol. Ymwrthod â lluniau, caneuon a pheraroglau atgofus; canolbwyntio ar drysorau'r presennol, ehangu ei phrofiadau o'r bywyd a agorai mor addawol o'i blaen.'

Ac onid oedd wedi llwyddo'n eitha da, ac wedi rhoi siâp ar ei bywyd a'i gyrfa? Cwrdd â'r dyn dieithr yna heddiw mor annisgwyl a'i hysgydwodd am ennyd, a hynny am nad oedd wedi llwyr gydio yn rhythm arferol ei bywyd wedi'r gwyliau. Gwneud rhywbeth cadarnhaol o hyd ac o hyd, dyna'r ffordd i gario ymlaen.

Cododd y Dr Gwen Lloyd ar ei thraed, ac aeth rhagddi ar hyd y Prom a'i chi bach yn anadlu'n drwm wrth ei sodlau. Er peth dryswch i Morag, aethant heibio i ddrws y tŷ, er iddynt groesi'r ffordd yn y man arferol. Troesant i fyny ar y dde a chyn hir clymwyd yr ast fach wrth reilin haearn â'i thennyn, heb air o eglurhad na ffarwél gan ei meistres.

Ni fu Gwen erioed y tu mewn i'r eglwys Babyddol hon o'r

blaen. Prin y sylwodd ar ei manylion cyn i'r awyrgylch led-atgofus ei deffro i sylweddoli mor anarferol oedd y cam a gymerodd. Roedd wedi troi i fynd oddi yno pan ddaeth rhywun ati, offeiriad, a oedd yn amlwg wedi ei dilyn drwy'r drws.

'Fedra i eich helpu?' gofynnodd yn dadol, mewn llais Gwyddelig cynnes. Â geiriau digon trwsgl, ond yn bendant ei thôn ac awdurdodol ei dull, eglurodd Gwen nad oedd hi o'i ffydd nhw o gwbl, ond os nad oedd yn cyfeiliorni credai y gallai ef ddweud pader, neu drefnu rhywbeth o'r fath, dros gyfaill iddi a fu farw.

'Ydych chi newydd gwrdd â phrofedigaeth, fy merch?' gofynnodd yr offeiriad yn ei lais llyfn, a'i lygaid yn gorffwys ar y wisg frethyn amryliw.

'O, na. Bu farw yn Dachau, flynyddoedd yn ôl.' Swniai'n swta ar ei gwaethaf, ond roedd arni eisiau cael yr holl beth drosodd cyn gynted ag y medrai.

'Dydd pen blwydd, hwyrach?'

'Rhywbeth felly.'

'A'r enw?'

Doedd bosib bod rhaid mynd mor bell â hyn? Gwridodd wrth ateb, 'Maximilian von ...' oedodd. 'Fydd hynna'n ddigon?'

Barnodd yr offeiriad, wrth sylwi ar y gwefusau tyn, y byddai.

'Ond beth amdanoch chi, fy merch?' holodd yn dyner.

Arswydai Gwen fwyfwy at y sefyllfa a greodd iddi ei hunan. Byddai'r bobl yma ar ei hôl byth a beunydd nawr bob tro y byddai eisiau arian arnynt! Arian, o ie, wrth gwrs.

'Fe ddywedais nad oedd yna unrhyw arwyddocâd yn hyn i mi, mewn ystyr ysbrydol. Dyw e'n ddim mwy na gweithred sentimental. Faint o arian fydd arnoch ei eisiau? Canhwyllau a phethau, mae'n debyg?' Agorodd ei phwrs. Llithrodd ei bysedd yn drwsgl dros bapur chweugain, yna punt, cyn penderfynu y byddai'n well bod yn anrhydeddus, ac estynnodd deirpunt i'r dyn.

Wrth deimlo'r papurau yn gras yn ei ddwylo, gwenodd arni.

'Nid gweithred sentimental, fy merch; act o ddefosiwn.'

Gan ysgwyd ei phen, trodd Gwen a gadael yr eglwys heb edrych i'r dde na'r chwith. Rhyddhaodd Morag ac aeth y ddwy i'r tŷ drwy ddrws y cefn. Cyneuodd y tân nwy. Roedd mor oer yn yr hen le 'na. Gollyngodd ei hun i lawr yn drwm yn ei chadair freichiau. Roedd wedi blino'n lân. Daeth Morag ati a llyfu cefn ei throed cyn swatio o flaen y tân. Dyma sut y byddai'r ddwy yn hoffi bod wedi noswylio.

Ond os oedd ias oer i lawr ei chefn, roedd ei hwyneb ar dân. Beth yn y byd ddaeth drosti gynnau fach? Wel, nid oedd yn mynd i wastraffu dim rhagor o amser dros y busnes 'na. O leiaf roedd wedi gwneud rhywbeth – yn wir popeth a allai nawr. Gwneud dim oedd mor andwyol.

Wrth estyn am yr Hölderlin, cofiodd eto am yr aur a'r glas a'r porffor ar ben Pumlumon. Beth tybed fyddai gan Eifion Wyn i'w ddweud wrthi'r prynhawn yma? Ni wastraffwyd fawr o amser yn yr ysgol ar 'Delynegion Men', ond roedd y 'Misoedd' yn dal yn weddol gyflawn yn ei chof.

> Os yw blodau cyntaf haf wedi caead ar y dolydd
> Onid blodau eraill sydd, eto 'nghadw ar y mynydd?

I'r dim, unwaith eto! A pha ots os mai llyfrau, ci, dillad pert, ie, a dyletswydd, oedd y blodau hynny? Roedd llai o berygl iddi gael ei dal yn eu drysni!

'Feddylies i ddim bryd hynny, cofia, y bydde dim fel hyn yn dicwdd. Ond ro'dd e wedi 'nharo i'n beth od ofnadw, bnawn Sul diwetha, wrth ddod mas o'r Ysgol Sul, bod dim blote ffres ar fedd Beryl fach. Ti'n gwbod lle ma'i bedd bach hi, wrth ddrws y festri ...'Ware teg i Rachel-Ann, do'dd hi ddim wedi colli un pnawn Satw'n heb fynd â blote at y bedd ar hyd y miso'dd ers ei chladdu hi. Y wâc 'na i'r fynwent ar bnawn Satw'n o'dd diwedd yr wthnos i Rachel-Ann. Welet ti ddim mohoni ar ddy' Sul. Dim ond unweth fuodd hi yn y cwrdd wedi'r angladd. Detho i i gretu mai er mwyn cwpla'i gwaith yn gynnar dy' Satw'n y bydde hi'n trefnu'i hwthnos; golchi ddy' Llun, crasu ddy' Mawrth, glanhau'r llofft ddy' Mercher, a'r parlwr a'r gegin ddydd Iau, siopa ddy' Gwener, ar ôl golchi'r bac, ac wedyn rwb lawr drwy'r tŷ fore Satw'n, a bant â nhw eu dou ar ôl cin'o, tua'r fynwent. Beth oe'n nhw'n neud nos Satw'n, na thrwy'r dy' Sul, alla i ddim gweud wrthot ti. Oe'n ni, o'dd yn byw drws nesa, byth yn eu gweld nhw, ta beth.

'Wel, pan weles i'r un crysanths â'r Sul cynt ar y bedd, teimles i rywbeth yn 'y nghered i, ond pan wedes i wrth Jim ni amser te, beth wedodd hwnnw o'dd falle'i bod hi'n dechre dod drosto fe, druan fach, ac wrth gwrs fod blote'n arswydus o ddrud amser hyn o'r flwyddyn. 'Sdim o dyn'on yn teimlo pethe 'run peth â ni, nag'yn nhw? Wel do'dd dim golwg arnyn nhw ddy' Sul fel arfer, dim ond eu cl'wed nhw'n rheso'r tân neu'n cau drws y pantri, weithe.

'Ond fore Llun, ma'n siŵr ei bod hi heb fynd 'nôl i'r gwely ar ôl i Dai fynd i'r gwaith, achos pan es i mas i'r beili cyn i'r plant fynd i'r ysgol, ro'dd llond lein o olch mas drws nesa; *sheets,* casys gobennydd, tywelion, tacle'r *dressing-table*, yn ogystal â'r dillad isa arferol. Ac os wyt ti'n cofio, ro'dd hi'n sychu'n neis ddy' Llun, a phan own i'n pego 'nillad i mas, rywbeth gyta'r deg o'r gloch, ro'dd Rachel-Ann yn tynnu mewn y lot gynta, a llond basged arall yn barod i gymryd eu lle nhw – cyfrin' soffa'r parlwr, rhes o gasys clustoge a'r lliain ford *plush*. "Diar mi," myntwn i wrthi, "ma' rhywun yn dechra *spring-cleano*'n gynnar leni!" "'Sdim fel mynd ati pan ma'r stêm lan," medde hithe, yn sionc reit. A dyna gyd füws.

'Fore dy' Mawrth fe glywn lanhau mowr ar y llofft drws nesa, ac wetyn yn y parlwr, a hithe ddim yn arfer glanhau ar ddy' Mawrth! Meddylies falle'i bod hi'n mynd i bapuro'r parlwr.

'Ddy' Mercher ro'dd y gwynt ffeina erio'd yn dod o drws nesa, gwynt teisen gyrens, fel teisen Nadolig, meddylies i. Ac amser te da'th Nanno ni o'r ysgol a bynnen gyrens yn ei llaw. Mrs Llewelyn Drws Nesa wedi ei rhoi iddi, ac wedi dangos dolis Beryl iddi, yn un rhes ar soffa'r parlwr, "ac mae'n gweud y caf fi nhw i gyd ryw ddiwrnod, cyn bo hir nawr," meddai.

'Cofia, rwy'n cyfadde imi feddwl y gallsai fod wedi rhoi peth o'i dillad i Nanno, ond fel dwedodd Jim, bydde'n galed iddi eu gweld nhw ar rywun arall. Ond ei dolie! "Wyt ti'n dweud y gwir?" siarsais Nanno, ond mynnai hi mai dyna wedodd hi, ac nad o'dd hi wedi 'mestyn dim o'i geirie.

'Cyngor Jim ar ôl cl'wed, o'dd i mi beido â dangos dim i Rachel-Ann nes y câi Nanno nhw, achos fe allai hi newid ei meddwl. Ond credai y gallai hyn fod yn arw'dd arall bod amser yn lleddfu ei hireth. A dechreues inne feddwl ei bod hi'n neud yr holl lanhau a'r cwcan am ei bod hi'n sylweddoli falle iddi adel pethe i fynd dipyn bach y miso'dd diwetha, bod Dai wedi gorfod shiffto, heb lawer o dolach, a'i bod hi'n mynd i ymdrechu nawr er ei fwyn e, achos a dweud y gwir, ma' golwg ddigon tene wedi mynd arno fynte. Beryl o'dd ei ddwy lygad e, 'sdim dowt. Ond allwn i ddim dala heb weud rhywbeth, a phan weles hi yn yr ardd ar ôl te, diolchais iddi am roi'r fynnen i Nanno, a holais os bu'n crasu bara, nad own i ddim wedi ailddechre ar ôl y rhyfel. "Do," atebodd, "wnes i grasad o fara heddi a thair torth o deisen gyrens. Fydde Mam yn dweud 'sdim ots pwy ddaw ar 'ych traws os o's teisien dorth ar ga'l."

'"Odych chi'n dishgwl pobol ddierth?" holais. "Na," atebodd, fel pe bai'n cysidro, "ond falle af i ar gered un o'r dyddie nesa 'ma.

Shifftith Dai wetyn os bydd y lle'n gryno, a dicon yn y pantri, a'r ffowls yn dodwy bob dydd nawr." "Gwnaiff newid aer dipyn o les i chi, ac fe gadwn ni lygad ar Dai," meddwn inne, gan feddwl taw mynd i'r wlad at ei mam fydde hi. Holais i ddim rhagor, achos, fel ti'n gwbod, do'dd neb yn gallu mynd yn ewn ar Rachel-Ann. Ma'n nhw'n fwy stansh na ni yn y wlad, ac o'dd e ddim fel pe baen ni wedi bod yn yr ysgol gyta'n gilydd, fel ti a fi, nawr! "Roet ti'n eitha reit amboitu hi drws-nesa," meddwn i wrth Jim ar ôl mynd i'r gwely y nosweth 'ny. Mae'n dod drosto fe; mae'n sôn am fynd bant am gwpwl o ddiwrnote, a wedes i y cadwen ni lygad ar Dai iddi."

'Gelli di feddwl faint o sioc gawson ni pan alwodd Dai ni yn wyllt reit yn orie mân fore dydd Iau. Ro'dd hi wedi codi ac yfed yr hen ddisinffectant 'na rywbryd yn ystod y nos. Pan welodd Dai ei heisie hi, ffeindiodd hi ar lawr y gegin, yn eitha o'r, druan fach, a llun Beryl fach wedi cwmpo o'i llaw.'